LA FRANCE
DOIT CHOISIR

JEAN-LOUIS BEFFA

LA FRANCE
DOIT CHOISIR

ÉDITIONS DU SEUIL
25, bd Romain-Rolland, Paris XIVe

ISBN 978-2-02-106499-5

www.seuil.com

Introduction

Pendant quarante ans, j'ai travaillé à la gestion d'une entreprise de dimension mondiale. Et, tout au long de ces années, l'environnement n'a cessé d'évoluer sous l'effet conjugué de l'ouverture du monde communiste, de la montée en puissance de nouveaux acteurs économiques comme la Chine, de la libéralisation des échanges internationaux ou encore du progrès des moyens de communication. J'ai donc pu constater que, contrairement à ce que l'on entend souvent, ces changements n'ont nullement conduit à l'alignement des économies mondiales sur un modèle unique, mais au contraire à une différenciation des modèles économiques des pays. De mon point de vue de chef d'entreprise, j'ai également été frappé par le rôle central des États dans l'évolution des économies, souvent pour le meilleur et parfois pour le pire. Loin de constater l'impuissance des pouvoirs publics, j'ai observé que ceux-ci font des choix cruciaux qui conditionnent la dynamique des entreprises comme celle de l'emploi, mais aussi la relation entre les entreprises et les citoyens.

Des choix politiques ont par exemple fait évoluer l'économie française vers un modèle directement inspiré de celui de la Grande-Bretagne et des États-Unis, et que l'on peut qualifier de libéral-financier. Au cœur de ce modèle, la suprématie de l'actionnaire s'impose dans la gestion des entreprises et, partant, dans la vie économique. Ce choix s'est opéré alors que les entreprises voyaient peu à peu leurs objectifs et leurs champs d'action s'éloigner de leur territoire d'origine. D'autres pays comme le Japon ou l'Allemagne n'ont pas eu les mêmes options. Bien leur en a pris, car j'estime, comme on va le voir dans les pages qui suivent, que ce modèle libéral-financier est directement responsable des nombreux problèmes économiques et sociaux qui secouent les économies développées.

En Europe, on assiste à un divorce inquiétant entre les travailleurs ou, plus largement, les citoyens et les entreprises. Celui-ci s'exprime parfois par des critiques radicales de la mondialisation, par des mouvements d'indignation populaires et souvent par un mal-être au travail. Une cause profonde de ces problèmes vient du sentiment, hélas légitime, que nombre d'entreprises ne cherchent plus aujourd'hui qu'à maximiser des rendements financiers à court terme, et non l'intérêt de toutes les parties prenantes.

D'autres modèles sont possibles, qui permettent une intégration à long terme des économies dans la mondialisation et la réconciliation des citoyens avec les entreprises. L'objectif de ce livre est de contribuer à la définition d'un modèle alternatif au choix libéral-financier et de montrer que des actions publiques simples et concrètes, menées essentiellement par l'outil législatif et réglementaire, aux niveaux français et européen, sont suffisantes pour redresser la barre. Ces actions, on le verra, peuvent par exemple prendre la forme d'une réorientation des aides publiques aux entreprises, afin de définir une politique industrielle vraiment efficace en direction des entreprises de toute taille. Ensuite, la représentation des salariés aux conseils d'administration et la prévention des rachats hostiles des entreprises sont d'autres mesures simples à mettre en œuvre. Des évolutions institutionnelles pour redéfinir le rôle de l'État stratège sont aussi nécessaires, car un modèle économique n'est pas seulement une stratégie de croissance, c'est aussi une vision des rapports sociaux et du pacte social dans lequel les entreprises s'insèrent.

Mais avant d'en arriver à ces propositions, les pages qui suivent montreront la diversité des types d'économie dans le même cadre mondialisé. Les économies des États-Unis, de l'Allemagne ou encore de la Chine se différencient pour l'essentiel par trois éléments. Le premier est la place accordée à l'actionnaire dans la gestion des entreprises ; le deuxième est le système d'innovation qui y prévaut, c'est-à-dire la relation entre la recherche publique, les petites et moyennes entreprises et les grandes entreprises ; le troisième est le mode de relations sociales choisi.

La deuxième partie présentera la trajectoire de différents pays dans la mondialisation en termes de réussite économique et de modèle. Il s'agit de repérer, en se servant des modèles définis dans la première partie, quelles sont les principales puissances économiques qui sont sorties gagnantes de la mondialisation et de la crise économique récente. Les lecteurs pressés pourront directement consulter les pages consacrées à la France et à l'Europe qui forment deux chapitres clefs de la troisième partie et détaillent des propositions plus précises.

Notre pays, plutôt mal en point aujourd'hui, est à la veille de choix qui l'engageront pour des années. Sa santé économique ne peut plus se penser indépendamment de l'action de l'État et de ses décisions politiques. Sa croissance ne sera possible que si elle repose sur une acceptation sociale du comportement des entreprises. C'est pourquoi, si ce livre permet d'ouvrir une large discussion sur le modèle économique que la France doit choisir, il aura atteint son but.

PREMIÈRE PARTIE

LES QUATRE MODÈLES

Chapitre 1

L'économie mondialisée

Si l'on a pu dire que la disparition du bloc communiste au tournant des années 1990 avait signé sur le plan politique le triomphe de la démocratie libérale, elle a aussi marqué sur le plan économique la naissance d'une nouvelle ère. L'économie de marché a vu alors s'ouvrir à elle, en un temps réduit, de nouvelles et vastes terres à conquérir. D'une part, la chute du mur de Berlin offrait aux entreprises occidentales en Europe de l'Est et en Russie des *terra incognita* sorties affaiblies de décennies d'expérience anticapitaliste. D'autre part, en Chine, le pouvoir en place avait, sous l'égide de Deng Xiaoping, amorcé un surprenant processus d'ouverture économique. Ces deux phénomènes ont concouru à une subite intégration économique mondiale. Les conséquences d'un tel changement pour les entreprises, les États et, au-delà, leur mode de relation ont été considérables.

On peut, pour en mesurer les effets, se poser trois questions :

1. Comment la mondialisation a-t-elle modifié la nature de la compétition entre les entreprises ?

2. Qu'attendent aujourd'hui les États de leurs entreprises nationales, celles dont le centre de décision se situe dans leur pays d'origine – par exemple Total pour la France, Boeing pour les États-Unis, Siemens pour l'Allemagne,

Toyota pour le Japon, qui jouent un rôle essentiel pour le dynamisme du pays par leur propre développement économique ?

3. Quelles sont les décisions politiques, en particulier dans les domaines législatif et réglementaire, qui permettront aux entreprises des métiers mondiaux, qui jouent un rôle essentiel, de servir au mieux leur pays ?

Les conséquences sur les entreprises

La mondialisation a bouleversé les coûts de production. Une main-d'œuvre bien formée était tout à coup prête à travailler à des salaires défiant toute concurrence. Les ouvriers occidentaux, sur ce point, ne pouvaient souffrir la comparaison : en Pologne ou en République tchèque, les salaires équivalaient à 20 % des salaires français ou allemands ; en Chine ou en Inde, ils plongeaient à 5 %. Ces écarts de rémunération n'ont que peu varié depuis.

Cette nouvelle main-d'œuvre se révéla extrêmement efficace et travailleuse. Formés à l'école des systèmes éducatifs socialistes, ces pays comptaient entreprendre sans tarder une montée en gamme de leurs compétences. La figure 1 donne un aperçu de la répartition mondiale actuelle des étudiants du supérieur.

Figure 1
Répartition géographique des compétences

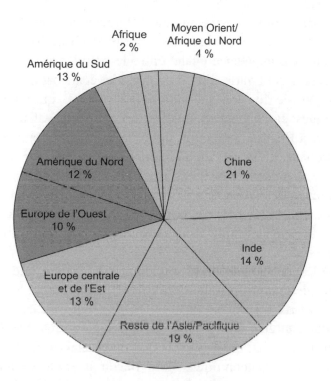

Afrique
2 %

Moyen Orient/
Afrique du Nord
1 %

Amérique du Sud
13 %

Amérique du Nord
12 %

Chine
21 %

Europe de l'Ouest
10 %

Inde
14 %

Europe centrale
et de l'Est
13 %

Reste de l'Asie/Pacifique
19 %

Diplômés avec une éducation tertiaire

SOURCE : Sylvia Ann Hewlett *et al.*,
« The Athena Factor. Reversing the Brain Drain
in Science, Engineering, and Technology »,
Harvard Business Review Research Report, n° 10094.

L'Asie, on le voit, rassemble la plupart des diplômés. L'idée qui voudrait que les pays occidentaux aient laissé aux puissances asiatiques les productions à faible valeur ajoutée, pour se concentrer sur le facteur clef d'une économie du savoir – la production intellectuelle –, est donc tout à fait fausse. En réalité, la part des étudiants venus de Chine ou d'Inde sur les campus anglo-saxons ne cesse de croître.

À ce phénomène s'ajoute la différence de coût, pour un employeur, entre un diplômé chinois et un diplômé occidental. À compétence égale, entre le premier et le second, le facteur coût varie d'un à quatre. Cet écart bat en brèche la supposée division internationale du travail, qui a dévolu à l'Ouest la conception intellectuelle, à forte valeur ajoutée, et à l'Est la confection industrielle. Naturellement, les universités chinoises ou indiennes ne peuvent concurrencer dès à présent le niveau d'excellence des centres universitaires et de recherche américains ou européens. Mais, nul doute que, d'ici peu, ces pays prendront une part décisive dans la production de connaissances scientifiques et techniques.

À l'apparition de ces changements planétaires, une question décisive se posait d'emblée : les pays occidentaux allaient-ils laisser ces nouvelles productions issues de l'ancien monde communiste pénétrer leurs marchés ? Ou bien allaient-ils, par des tarifs douaniers élevés ou de nouvelles normes techniques, leur barrer la route ? Dans le domaine agricole, la réponse consista en une série de subventions à l'exportation, de prix soutenus ou de barrières d'entrée. Dans le domaine industriel, la réponse fut radicalement différente. Ce refus du protectionnisme, orchestré par l'Organisation mondiale du commerce, créée en 1995, répondait à deux motifs. Il relevait à coup sûr d'une idéologie libérale qui ne pouvait laisser hors du giron de la démocratie et du libre-échange les pays émergents. Mais il répondait aussi à des préoccupations d'ordre plus réaliste : face au redressement des tarifs douaniers, ces nouveaux acteurs possèdent en effet des moyens de rétorsion puissants : la Chine avec ses réserves de change et la Russie avec son coffre-fort énergétique. Seuls deux pays firent exception à cette règle du libre-échange : le Japon, à la culture protectionniste bien ancrée, et l'Inde, qui, accédant à une nouvelle étape de son développement, encore insuffisant à ses yeux, tenait à continuer à protéger ses entreprises. Mais ces deux exceptions ne changent pas le caractère fondamental de la mutation en cours : dans de très nombreux secteurs industriels, la carte des lieux de production nationaux allait profondément changer.

Métier mondial ou régional ?

Ces mutations profondes ont entraîné une évolution de l'environnement concurrentiel des firmes occidentales. En même temps que de nouveaux marchés s'ouvraient ainsi que de nouvelles opportunités de production à bas coût, de nouveaux concurrents apparaissaient. Dans ce contexte, la nature du métier d'une entreprise est devenue un critère de gestion essentiel. Il convient, à ce titre, de distinguer les métiers « mondiaux » des métiers « régionaux ».

Les métiers mondiaux sont ceux où la production d'un pays donné est en concurrence directe avec les productions d'un autre pays, même lointain. Ils bénéficient pleinement du raccourcissement du temps de transport. Qu'il s'agisse de biens ou de services, le coût de transport est devenu suffisamment bas pour les destiner à une clientèle de dimension mondiale. Cela vaut pour des marchés de produits techniquement avancés, que ce soient des mémoires électroniques, des logiciels informatiques transmis par satellite ou des réseaux optiques à grande vitesse. En effet, pour de tels produits, on peut aisément atteindre toute la planète à un coût régulièrement décroissant, sans que le lieu de production soit discriminant. Dans ce type de métiers, les entreprises doivent, pour maintenir leur avantage concurrentiel, disposer en permanence d'un niveau de technologie élevé, d'inventivité et de service au client supérieur à celui de leurs concurrentes.

Ces sociétés ne produisent pas que dans leur pays d'origine. Elles ont souvent des productions secondaires dans des pays émergents, tels que l'Allemagne de l'Est pour les firmes allemandes, la Chine, la Malaisie… Mais elles conservent dans leur pays d'origine un outil industriel puissant et spécialisé, en particulier dans les productions les plus haut de gamme ou les plus innovantes afin, notamment, de protéger le plus longtemps possible leurs secrets industriels. Elles réalisent aussi l'essentiel de leurs efforts de recherche et de développement sur leur territoire national, tant pour les marchés actuels que pour les marchés futurs. Enfin, elles exportent à partir de leur pays d'origine une part importante de leur production. Telle est la stratégie d'entreprises comme Siemens en Allemagne ou Toyota au Japon. À une autre échelle, c'est aussi la stratégie des très nombreuses entreprises familiales de biens d'équipement qui caractérisent le tissu industriel allemand.

Les métiers régionaux sont ceux où les concurrents se situent au contraire à une faible distance, dans un même pays ou un pays voisin, et disposent du même coût de travail et du même coût d'énergie. Ils se caractérisent par des unités de production exclusivement tournées vers un marché local, les coûts de transport étant élevés. L'environnement économique de ces entreprises n'excède pas leur marché régional, où se concentre l'essentiel de leurs clients et de leurs concurrents. Il s'agit de productions industrielles telles que, par exemple, le ciment, le béton prêt à l'emploi, les agrégats routiers, le plâtre ou la laine de verre, pour ne citer que les métiers de la construction. C'est également le cas des services de proximité, où le client ne peut s'adresser qu'à un fournisseur situé proche de son domicile : les agences bancaires, la fourniture d'eau, le bricolage ou l'habitat et, d'une façon générale, l'ensemble de la distribution depuis les supermarchés jusqu'à la fourniture de matériaux aux artisans. Pour ces métiers à horizon régional, les nouveaux facteurs de production – différentiel de coûts salariaux, différentiel de coût d'énergie – ne sont pas susceptibles de déstabiliser les positions des leaders comme dans les métiers mondiaux. L'absence de mobilité internationale des produits protège aussi des variations de change entre les monnaies.

Cette régionalisation n'empêche pas certaines firmes à métier régional de se mondialiser, mais cette extension géographique ne concourt pas à une intégration mais à une coexistence de marchés ; elle s'opère plus par opportunité que par nécessité. Compte tenu de leurs compétences techniques, de marketing ou d'innovation et de gestion, ces firmes n'exercent pas leur métier régional dans un seul pays, mais au contraire dans le plus grand nombre de pays possible. Ainsi, en 1986, Saint-Gobain se déployait dans 18 pays. Quinze ans plus tard, cette même société était présente dans 60 pays. Inévitablement, le marché d'origine pèse de moins en moins dans le chiffre d'affaires global de ces sociétés de métier régional qui, d'ailleurs, ne jouent pas de rôle significatif au service du commerce extérieur car elles exportent peu, leurs clients étant géographiquement proches.

À cet égard, il est intéressant d'observer les profondes mutations en cours dans le secteur des biens culturels. Hier encore, on achetait son journal au kiosque de son quartier, ses livres chez son libraire et ses disques chez son disquaire. À présent, grâce à Internet, tous ces biens – la situation paraît encore transitoire pour les livres – viennent de toute la planète : musiques, films et informations parviennent de manière électronique à leurs consommateurs. En matière de presse notamment, on est passé en quelques années d'un métier régional à un métier mondial, ce qui a entraîné un bouleversement complet des conditions de concurrence et la remise en cause de leaderships supposés établis. Cette mondialisation des médias de masse s'accompagne d'une fragilisation des langues nationales, bien défendues dans le cadre de métiers régionaux, mais qui doivent aujourd'hui céder la place à l'anglais, langue dominante sur la toile et chez les leaders des métiers culturels mondiaux. Internet est une incroyable machine à mondialiser des métiers régionaux.

La nouvelle donne économique ne fera qu'accentuer la disparité entre ces deux catégories d'entreprises. Les premières, exerçant une activité mondiale, exposées à la concurrence internationale, aux effets d'échelle et à la révolution des transports. Les secondes, aux marchés plus réduits, obéissant à des logiques plurirégionales, et en appelant peu au soutien de leur État.

L'attente des États

Telle est, dessinée à grands traits, l'évolution des entreprises dans le nouveau contexte mondialisé. Mais quelle est l'attente des États ? La réponse semble bien connue : les États attendent des entreprises qu'elles créent de la croissance, de l'emploi et développent leurs investissements sur le territoire national. Mais les États ont besoin également qu'une entreprise productrice de biens et de services contribue au solde positif du commerce extérieur. Cette attente ne fait que se renforcer face à l'essor des pays émergents, et tout particulièrement de la Chine, pour une raison d'importance croissante : un pays disposant d'excédents commerciaux peut alors faire face à ses besoins énergétiques. Ceux-ci se heurtent à de nombreuses difficultés. Les ressources en énergies fossiles – pétrole et gaz – et en matières premières ne pourront certainement pas suivre le rythme de croissance de leur demande, entraînant une hausse des prix. La limitation de ces ressources et, plus encore, leur concentration dans des zones politiquement instables pèsent lourd sur les perspectives d'approvisionnement. Des risques politiques d'interruption des approvisionnements existent donc, comme on l'a vu dans le cas des expéditions de gaz russe. La conjugaison de ces deux facteurs laisse prévoir une exacerbation de la concurrence entre les États pour se procurer ces ressources rares.

On pourra certes conjurer ce risque en développant dans chaque pays une production d'énergie nationale, qu'elle soit d'origine nucléaire, solaire, gazière, éolienne ou autre. Mais cela restera, sauf rares exceptions, insuffisant face aux besoins croissants. C'est pourquoi il est impossible d'échapper à la contrainte d'un solde positif du commerce extérieur. Lui seul permettra aux États d'avoir les moyens d'acquérir l'énergie et les matières premières nécessaires au bon fonctionnement de leur pays, ne serait-ce que pour le chauffage et le transport. Lui seul garantira l'indépendance nationale ainsi que la sécurité économique en cas de crise. Sa dégradation en France est alarmante.

Or, comme le montrent les évolutions des balances commerciales de pays comme les États-Unis, le Royaume-Uni, l'Inde et la France (figures 2, 3, 4 et 5 ci-après), ce solde dépend essentiellement de l'industrie ou de l'énergie, mais non des services. Même un solde nettement positif dans le secteur des services, comme ce fut le cas par exemple en 2007 aux États-Unis – 131 milliards d'euros dégagés grâce aux activités à haute technologie –

ou en Grande-Bretagne – 80 milliards d'euros grâce aux services financiers – ou encore en Inde – 14 milliards d'euros grâce aux logiciels informatiques, ne compte guère dans la balance commerciale face au déficit industriel. Une prise de conscience s'impose donc en la matière : avoir un solde positif du commerce extérieur dépend presque uniquement de la compétitivité industrielle d'un pays. Les défenseurs à tous crins d'une économie seulement fondée sur les services ne prêchent qu'un déni de réalité commerciale.

Ce constat est patent dans le cas de la Grande-Bretagne mais aussi de la France, même si les conséquences ne s'en font pas encore sentir pleinement. En raison du rôle central du dollar dans les échanges internationaux, les États-Unis ont pu, depuis des décennies, financer sans trop de difficultés un déficit commercial abyssal, jusqu'à ce que la monnaie chinoise commence à mettre en cause cette domination sans partage. Dans le même temps, le Royaume-Uni, grâce au rôle de la City de Londres et à son savoir-faire en gestion d'investissements financiers, a pu continuer à attirer des capitaux. Mais il semble bien que cette page soit en train d'être tournée. On vient de voir combien la crise financière a mis en relief la faiblesse de la livre et donc de la Grande-Bretagne. On assiste aujourd'hui au déplacement des places de la finance internationale vers l'Asie, de sorte que demain Shanghai remplacera Wall Street, Hong Kong Londres, et Singapour la Suisse. Quant à la France, elle peut certes parier sur l'euro et les excédents allemands. Mais quels gages devra-t-elle donner à son voisin d'outre-Rhin si elle n'améliore pas sa situation industrielle ?

Aujourd'hui, l'économie n'est plus définie par l'affrontement entre le capital et le travail, mais par la bataille entre les États pour les ressources rares. Dans cette optique, le

nerf de la guerre se trouve pour chaque État dans ses industries nationales exportatrices.

Quels sont les moyens dont disposent les États pour
faire de leurs entreprises nationales des acteurs économiques efficaces au service de leur pays ? On l'a vu, ils
doivent décider de la place accordée à l'actionnaire dans la
conduite des entreprises – c'est le facteur le plus important ;
ils peuvent choisir entre différents systèmes d'innovation et
de relations sociales. C'est par ces trois choix politiques
qu'un État délimite les moyens d'action pour former des
champions nationaux. Chacun fera l'objet d'un des trois
chapitres suivants.

Figures 2, 3, 4 et 5
Balances commerciales
Solde commerce extérieur

Étato Unio

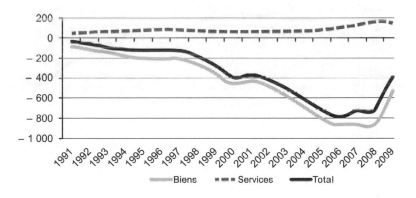

Source : OMC.

23

Royaume-Uni

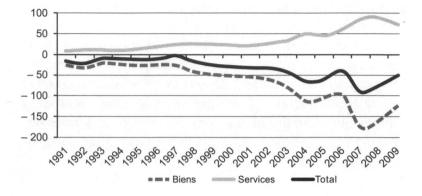

Source : OMC.

France

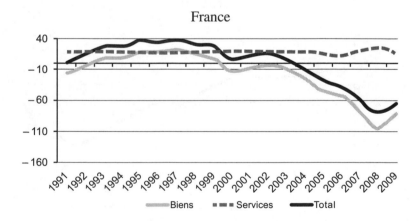

Source : OMC.

Inde

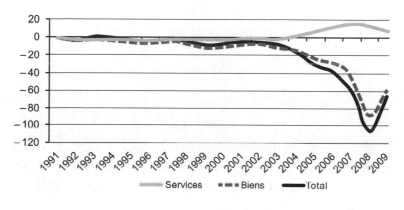

SOURCE : OMC.

Chapitre 2

L'État et le rôle des actionnaires[1]

Pour disposer d'entreprises nationales efficaces dans les métiers mondiaux, il peut paraître étrange de placer si tôt au centre de nos réflexions les décisions politiques relatives au rôle des actionnaires.

On peut penser en effet que, par principe, ces derniers cherchent simplement à maximiser le rendement économique de leur placement, et que le rôle de l'État dans une économie de marché est de leur offrir les conditions pour y parvenir. Mais, en réalité, les objectifs et les attitudes des actionnaires ne sont pas homogènes et leur action sur la stratégie de l'entreprise est d'une nature tout à fait différente selon les cas.

L'État doit donc choisir, entre plusieurs modèles de relation actionnaires/entreprise, celui qui répond le mieux à ses options : la primauté actionnariale ou le modèle de l'intérêt partagé. Un choix clair de modèle par l'État est nécessaire entre deux grandes options.

---

1. Ce chapitre doit beaucoup à la contribution « L'enjeu de l'actionnariat des grandes entreprises cotées en France : horizon temporel et contrôle », de Jean-Louis Beffa et Xavier Rageot, p. 47-63, in *À quoi servent les actionnaires ?*, sous la dir. de Jean-Philippe Touffut, coll. « Centre Cournot », Albin Michel, Paris, 2009.

La primauté actionnariale

Cette position, typique de l'idéologie libérale, affirme que les dirigeants (conseil d'administration et direction générale) doivent gérer l'entreprise dans l'intérêt exclusif des actionnaires. On la retrouve dans les pays anglo-saxons mais aussi actuellement en France.

Cette position vise à faciliter les offres publiques d'achat destinées à réaliser une plus-value en vendant au plus offrant (sociétés étrangères, fonds de capital-risque à effet de levier) l'entreprise à d'autres actionnaires. Elle favorise la déstabilisation des entreprises par des actionnaires activistes. Elle s'oppose à l'attribution de droits de votes doubles pour les actionnaires de long terme, en cas de détention de plus de deux ans par exemple, et vise à empêcher tout acte de défense émanant du conseil d'administration lors d'offres publiques d'achat hostiles. Elle préconise la mise en place d'un président du conseil d'administration qui ne soit pas choisi parmi les dirigeants actuels ou passés de l'entreprise, et ce afin de mieux surveiller ces derniers et de les empêcher de développer un *affectio societatis* trop fort pour leur entreprise.

Cette idéologie actionnariale participe d'une déconnexion entre économie financière et économie réelle : elle contribue au raccourcissement de la durée de détention des actions et à un interventionnisme accru dans la direction des entreprises. On comprend aisément que cette idéologie soit défendue dans les instances européennes et nationales par la City de Londres, qui gagne de l'argent sur toutes ces opérations financières conclues au détriment de la stabilité des entreprises : elle n'est que la mise en œuvre des intérêts commerciaux de la City représentés par la Grande-Bretagne. Mais que cette attitude puisse susciter l'enthousiasme du ministère des Finances français ou de la Commission de Bruxelles, voilà qui laisse davantage perplexe quant au bénéfice que peuvent en tirer le développement économique de la France et de l'Europe et, en particulier, leurs positions industrielles.

Ce modèle de la suprématie actionnariale sur la stratégie de l'entreprise s'applique de manière plus ou moins poussée selon le type d'actionnaires majoritaires dans l'entreprise considérée. Il existe trois catégories d'actionnaires principaux capables d'exercer ce contrôle (voir la figure 6) et ayant des influences très différentes sur la stratégie des entreprises, pouvant aller d'une forte mainmise sur la direction de l'entreprise à une ligne moins interventionniste.

Figure 6

Une typologie des actionnaires

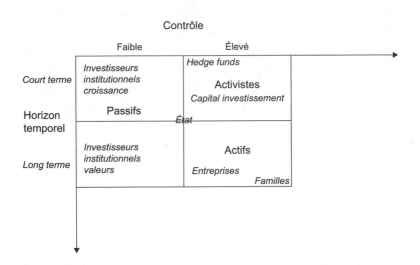

Les actionnaires institutionnels

Commençons donc par les actionnaires institutionnels puisque, dans nombre de pays occidentaux, ils jouent le rôle essentiel de l'actionnariat, rôle qui n'a d'ailleurs fait que croître ces dernières années.

Leur spécificité est la suivante : ils recherchent avant tout un rendement, sans tenter de modifier les choix des entreprises ou d'acquérir du pouvoir en leur sein afin d'augmenter la rentabilité de leur placement. Il s'agit des sociétés de placement d'actions, comme les SICAV, de compagnies d'assurance ou de fonds de pension. Leur positionnement est étroitement lié à la rémunération personnelle de leurs gérants, laquelle provient des profits réalisés lors de l'acquisition ou de la vente des actions. Ces investisseurs n'interviennent pas directement dans les stratégies des entreprises, leur appréciation se manifestant par les achats et les ventes de titres ; ils sanctionnent *a posteriori* la qualité des orientations stratégiques de l'équipe de direction, sans les définir en amont. Ainsi, leur influence est réelle mais indirecte. C'est pourquoi ils sont appelés investisseurs passifs.

Le bonus des gérants est lié au rendement qu'ils obtiennent grâce à leurs décisions personnelles en comparaison du rendement moyen obtenu par ceux qui exercent le même métier. Leurs engouements ou leurs rejets collectifs entraînent la formation puis l'éclatement de bulles financières sur le marché des actions. On se rappelle l'avènement puis le déclin de la bulle Internet de 2000 et plus encore de la bulle financière constituée en 2006-2008.

Une autre de leurs caractéristiques est leur réticence vis-à-vis de ce que l'on appelle les conglomérats, ces entreprises aux activités diversifiées. Préférant investir par classes de métiers bien séparées, ce qui leur permet de mieux se positionner dans un cycle économique, les investisseurs institutionnels font moins attention aux qualités intrinsèques de l'entreprise, et en particulier à l'atout qu'apporte la taille de la firme et la répartition des risques. Ce type d'actionnariat institutionnel n'est donc pas sans danger. Il n'est guère favorable aux entreprises qui adoptent une stratégie de long terme ni à celles qui privilégient la prise de risque, car son jugement est essentiellement centré sur la rentabilité pour les dix-huit prochains mois.

Les actionnaires activistes

Une deuxième catégorie d'actionnaires joue un rôle tout aussi court-termiste, et de surcroît spéculatif. Il s'agit des *hedge funds* ou fonds de capital investissement, qu'on appelle aussi « actionnaires activistes ».

Leur objectif est clair : valoriser rapidement leur investissement en modifiant la stratégie des entreprises. Le but poursuivi est donc de forcer les décisions des directions, jugées inefficaces ou assoupies, de façon à augmenter très vite l'efficacité économique de l'entreprise, ou bien de vendre des actifs pour profiter de situations temporaires de valorisation boursière. Ces actionnaires activistes ne sont pas des actionnaires au sens plein et traditionnel du terme. Davantage spéculateurs, ces gestionnaires d'actifs sont souvent en décalage avec les intérêts stratégiques des entreprises. Ils ont à leur disposition des instruments financiers et des techniques de marché sophistiqués et militent pour un droit de regard fort sur la gouvernance des entreprises. Ils brouillent ainsi les fonctions d'apport de capital et de contrôle de l'entreprise.

Leur action peut s'exercer de deux façons. La première consiste à prendre le contrôle à 100 % du capital, en empruntant à des taux élevés une part importante du coût de l'entreprise achetée. Ces opérations à effets de levier – plus souvent appelées *leverage buy out* ou LBO – ont été très nombreuses ces dernières années, parce que les taux d'intérêt étaient anormalement bas et que les banques étaient prêtes à prendre des risques considérables dans le financement de ces opérations.

L'autre méthode des actionnaires activistes consiste à prendre une part significative mais minoritaire de l'entreprise : de l'ordre de 10 à 20 %, parfois plus. Leur attitude est alors plus subtile. Ils veillent à rester au-dessous du seuil obligatoire d'offre publique d'achat d'une entreprise – fixé en France au niveau trop élevé de 30 % –, tout en s'efforçant, par le biais de leur poids en assemblée générale (où souvent seuls 50 % du capital sont représentés), soit de menacer l'équipe dirigeante d'un changement de composition, soit de procéder à ce changement pour modifier la stratégie de l'entreprise en vue d'un profit rapide, avec l'apport du soutien d'« administrateurs indépendants ».

De telles opérations peuvent évidemment s'avérer lucratives du fait d'une sous-évaluation initiale par le marché. Mais à quel prix ? Pareille attitude est fortement préjudiciable à la stabilité de l'entreprise, au maintien de stratégies de long terme, au développement international, à la recherche et à l'innovation. Le risque est de sacrifier la croissance de l'entreprise à long terme au versement rapide d'importants dividendes exceptionnels qui ponctionnent les réserves de trésorerie, la cession d'entités liées à un positionnement stratégique de long terme, ou même la remise en cause du climat social au sein de l'entreprise. L'ensemble des ayants droit de l'entreprise, qu'il s'agisse de son environnement social ou politique, pâtit donc particulièrement de ces stratégies.

Les actionnaires actifs

Une troisième catégorie d'actionnaires peut être qualifiée d'« actionnaires actifs ». S'ils ne succombent pas à l'activisme, ils peuvent apporter stabilité et soutien à une entreprise, en entretenant un dialogue efficace et salutaire avec ses dirigeants.

Ces acteurs, comme les activistes, détiennent en général des pourcentages significatifs d'une société (10 à 20 %), mais restent actionnaires sur la longue durée. L'archétype de cette catégorie est l'actionnariat familial. Il suit de près la stratégie de l'entreprise, s'efforce de diminuer les conflits entre les actionnaires et les managers, et peut même accepter des baisses du cours de l'action si elles sont temporaires.

De tels actionnaires participent en France au contrôle de groupes de premier plan comme Bouygues, L'Oréal, LVMH, Pernod-Ricard, Peugeot, PPR, ou encore Publicis, où ils ont montré leur efficacité. Ces entreprises à socle familial évoquent de manière lointaine la figure de l'actionnaire-entrepreneur. La logique qui y prime est patrimoniale et vise la pérennité de la société bien plus que la rentabilité maximale. Les résultats obtenus par ces groupes confirment en effet l'importance de la compréhension de la stratégie des entreprises par les actionnaires. Cela leur permet de détecter les erreurs de management, mais aussi de ne pas céder aux fluctuations des cours de Bourse, qui sont la vie quotidienne des affaires. Un point essentiel dans cette situation est de veiller au maintien de l'influence des actionnaires minoritaires, de façon à éviter tout risque de conflit entre l'actionnaire dominant et les autres. La qualité de ce contrôle est aussi liée à la stabilité du groupe familial et à sa compréhension de l'évolution de la stratégie de l'entreprise, dont il est l'actionnaire de référence.

D'une manière plus générale, même si les cas de figure possibles demeurent très variés, la primauté donnée à l'actionnariat ne va pas sans risque. On peut donc chercher d'autres modes de gouvernance, qui puissent accueillir l'idée d'un partage.

Le modèle de l'intérêt partagé

Ce modèle, qui ne place pas l'intérêt actionnarial au-dessus de l'intérêt social, se décline de deux façons.

L'intérêt social

À l'inverse du modèle de la primauté actionnariale, il place l'action des dirigeants et du conseil d'administration – gardiens de l'intérêt de la société considérée comme un tout – au centre de l'entreprise.

L'intérêt social, distinct des intérêts de chacune des parties prenantes, est placé au premier rang des devoirs des dirigeants. Des références à cette notion apparaissent dans de nombreux régimes juridiques. En Europe, ce modèle pourrait être qualifié de « continental ». Comme les autres, il doit être évalué à l'aune des principes de justice et d'efficacité, mais aussi de la responsabilité plus ou moins limitée des dirigeants ; sa mise en œuvre se fait donc suivant des normes nationales qui peuvent varier.

Ce souci de l'intérêt social vise à ce que les sociétés agissent en tenant compte de tous les ayants droit de l'entreprise, salariés et environnement économique compris. Il facilite la gestion d'un développement responsable qui prend en compte le long terme et place au centre du dispositif un conseil d'administration chargé de définir la stratégie et de veiller à son application. Il vise un fonctionnement efficace du conseil s'appuyant sur les travaux de divers comités (comité des comptes, comité de responsabilité sociale et éthique, comité des nominations et des rémunérations) et manifeste une forte exigence de transparence et d'explication vis-à-vis des actionnaires.

La cogestion

Surtout présente en Allemagne, la cogestion est en fait une variante du modèle précédent, dont elle garde l'ensemble des caractéristiques. C'est le modèle le plus avancé de participation des salariés aux décisions de l'entreprise. Sa spécificité tient au fait que les représentants des salariés siègent en tant que tels au conseil d'administration, et non en tant qu'actionnaires. La cogestion est le second pilier, à côté du dispositif de négociation collective entre organisations syndicales et patronales, du partenariat social allemand. Elle n'a pas d'équivalent en Europe. Elle laisse une large place à la recherche du consensus, le dernier mot restant, en cas de conflit entre les représentants des salariés et ceux des actionnaires, à ces derniers. Il n'en demeure pas moins que ce système permet aux salariés de se tenir informés de la situation économique et financière de leur entreprise, et d'être associés aux décisions stratégiques, aux choix de nouvelles équipes dirigeantes, aux projets de développement, d'augmentation de capital…

La cogestion assure moins un contre-pouvoir au sein de l'entreprise qu'une concertation de toutes les forces en présence. Elle conduit à un système où les salariés ont à la fois des droits et des devoirs particuliers dans la stratégie des entreprises. Ils sont à même de participer à son élaboration et de la contrôler, en échange de quoi ils doivent étroitement collaborer à sa mise en œuvre.

Le choix entre ces deux grands modèles détermine l'intérêt qu'auront les entreprises à répondre à l'avantage compétitif recherché par un État. Dans le cas du Royaume-Uni, le choix est évidemment celui du premier modèle puisqu'il correspond de façon idéale à l'action de la City. La priorité actionnariale en vigueur outre-Manche est en effet en phase avec le poids important pris par le secteur financier dans l'économie britannique. À l'inverse, pour l'Allemagne, qui veut d'abord et avant tout mener des stratégies industrielles de long terme dans la recherche d'un consensus social, il s'agit du second modèle sous la forme de la cogestion.

Il est clair que, si un État considère le solde positif de son commerce extérieur comme un des objectifs indispensables à sa politique économique, il doit adopter le second modèle, au minimum sous sa première forme. Il n'est sans doute pas possible d'adopter partout le modèle allemand de la cogestion. C'est le cas de la France, où le dialogue social, moins ancré culturellement, cède souvent le pas au conflit social.

Pour procéder à ce choix, l'État dispose d'une large panoplie de moyens législatifs et réglementaires. Il peut redéfinir le rôle du conseil d'administration et de celui des dirigeants, en rééquilibrant la balance entre actionnaires et gestionnaires. Il peut aussi favoriser l'actionnariat de long terme par des mesures fiscales, en allégeant la taxation des profits réalisés à la suite de la vente d'actions détenues depuis longtemps. À l'inverse, une taxation renforcée des plus-values entraînées par la cession de titres détenus depuis moins d'une année serait efficace. Il a également la capacité de lutter contre le contrôle rampant, qui donne de fait à un actionnaire, minoritaire mais important, le contrôle de la société sans que son poids actionnarial soit proportionnel à son pouvoir de décision. Une autre piste serait d'améliorer la prévention contre les prises de contrôle hostiles, en mettant à disposition du conseil d'administration et des dirigeants de la société des moyens de défense appropriés. L'État peut exiger la transparence totale et l'information du marché en particulier quant aux diverses actions menées par les fonds spéculatifs et les actionnaires activistes. Il peut faciliter au maximum l'implication des employés en favorisant l'actionnariat salarié et en

permettant la représentation dans des proportions adé-
quates, selon les pays, du personnel au conseil d'administration.

Ces choix sont autant de décisions politiques essentielles. C'est grâce à elles que l'État pourra exercer toute
son influence sur la stratégie des entreprises et l'orienter
dans le sens de l'intérêt national.

Chapitre 3

L'État et l'innovation des entreprises[1]

Pour rester en situation de leadership, les entreprises doivent coûte que coûte maintenir leur avance technologique. Cette contrainte est devenue essentielle dans les métiers mondiaux de produits comme de services, soumis comme on l'a vu à une concurrence accrue. Or, l'efficacité d'une entreprise dépend beaucoup de l'environnement national au sein duquel elle effectue sa recherche et son développement, autrement dit du contexte du pays dans lequel se situe son siège social, où sont localisés les deux tiers de ses efforts de recherche.

L'intensité de l'effort de recherche privée dépend des décisions publiques, au même titre que la qualité du système de recherche publique. En amont de la recherche tout d'abord, le système d'éducation et de formation est du ressort de l'État. La force et l'efficacité des interactions entre entreprises, universités ou grandes écoles sont directement tributaires de choix politiques. En accompagnement de l'activité de recherche, la puissance publique a en charge l'environnement fiscal et organise le cadre de financement de la recherche. Au soutien de la recherche, les crédits d'impôt, les allégements de charge ou les agences de financement dépendent de la responsabilité de l'État.

1. Ce chapitre doit beaucoup aux travaux des économistes français Robert Boyer et Bruno Amable.

En aval de la recherche, il revient à l'État de mettre en place le système de protection juridique de la propriété intellectuelle des brevets et inventions et de fixer le cadre d'innovation des entreprises, en fonction de différentes options idéologiques. C'est la nature de ces choix et l'examen de leurs conséquences sur les entreprises que l'on va maintenant détailler.

Quel système d'innovation ?

Des économistes, comme Bruno Amable ou Robert Boyer en France, se sont attachés à dégager une typologie des systèmes d'innovation et à identifier des États pouvant être associés à chaque catégorie. Ils ont isolé différentes chaînes d'innovation, qui passent par plusieurs étapes allant de la recherche fondamentale à la mise sur le marché, en passant par la protection juridique sous brevet.

Le système de marché

Dans ce système, pour faire progresser la science, le mode de développement et de financement de la recherche est porté par la concurrence entre chercheurs et universités. Une grande importance est accordée à la protection des droits de propriété intellectuelle, brevets et droits d'auteur. Les banques et les organismes financiers spécialisés soutiennent, de leur côté, la prise de risque et cherchent des rentabilités fortes en investissant dans les innovations, en particulier celles mises en œuvre par les entreprises « jeunes pousses » appelées « *start-up* ». Des programmes de recherche militaire stratégique portant sur le développement de technologies très avancées complètent l'effort de la recherche privée. Un foisonnement de créativité au niveau des produits en résulte. Mis en application aux États-Unis, où l'on y retrouve toutes ses composantes, ce système excelle à transformer l'invention scientifique en produit capable de répondre à une demande de consommateurs ou de susciter de nouveaux besoins.

Ce passage de la recherche pure à sa mise en application sur le marché est extrêmement rapide aux États-Unis. C'est cette capacité de transformation économique de la recherche qui fait la particularité américaine. Les créateurs de Google ou de Microsoft n'ont pas inventé Internet, mais ont excellé dans l'appropriation efficace des progrès technologiques. Cependant, une grande liberté est laissée à la recherche fondamentale, qui n'entre pas en contradiction avec le besoin d'applications rapidement commercialisables. Le passage de la recherche théorique à l'innovation rapide a en effet le plus souvent lieu dans des centres de recherche pure d'excellence.

Cette organisation ouverte et concurrentielle de la recherche se révèle plus efficace que l'organisation française marquée par un défaut d'autonomie. Le soutien des investisseurs aux petites entreprises innovantes est important. Les dépenses américaines dévolues au capital-risque sont les plus élevées au monde et représentent 0,36 % du PIB. Les États-Unis se placent également au premier rang mondial en ce qui concerne les investissements dans les technologies d'information et de communication, industries d'avenir à forte valeur ajoutée.

Le système dirigé par l'entreprise

Plaçant les grandes entreprises au cœur du système, cet autre système d'innovation revêt des traits radicalement différents du modèle précédent et suit les principes suivants. La recherche universitaire y est fortement soutenue par l'État et son haut niveau de compétences est reconnu au plan international. Mais elle reste en grande partie séparée de l'industrie. Les petites entreprises innovantes y jouent, quant à elles, un rôle marginal. La recherche des marchés du futur et un effort de développement des technologies nouvelles mené avec continuité, systématisme et visant le long terme, constituent l'objectif fondamental de gestion des entreprises. Ce comportement est soutenu à la fois par l'État et par les actionnaires.

Une vive concurrence entre les sociétés s'exerce sur le plan de la nouveauté technologique, mais beaucoup moins au niveau du prix de vente des produits. Les nouveautés sont systématiquement développées et produites sur le territoire national. La diversification dans de nouveaux métiers est le mode de fonctionnement et de croissance des sociétés, au sein de conglomérats diversifiés, où le développement interne reste privilégié. Pour de grands programmes tournés vers les marchés et les technologies du futur, l'État subventionne l'action des grandes entreprises en leur laissant intégralement la propriété industrielle issue des recherches. Une grande attention est enfin portée à la mise en œuvre industrielle des innovations, dans des conditions techniques optimales. Une grande partie des connaissances technologiques et industrielles sont développées au sein de l'entreprise et d'elle seule, où règne le culte du secret. Les chercheurs et spécialistes techniques ne circulent d'ailleurs pratiquement pas entre les sociétés et restent des décennies au sein de leur entreprise.

Ce système d'innovation est mis en œuvre avec un grand succès au Japon et également en Corée du Sud. L'État y occupe un rôle limité mais significatif, dans la mesure où il agit comme un coordinateur entre firmes et offre des services collectifs. Le premier rôle est en réalité assuré par l'entreprise. Le nombre de chercheurs pour 1 000 employés au Japon est l'un des plus hauts du monde. L'économie japonaise fait le pari, non d'une compétitivité fondée sur les prix mais, pour conserver de hauts revenus, d'une compétitivité hors prix, qui donne la part belle à l'innovation et à l'avance technologique comme moteurs de l'avantage compétitif de ses firmes. Autre règle de ce système méso-corporatiste que l'on retrouve au Japon : le lien fort entre l'entreprise et ses employés. Le modèle éducatif japonais, qui offre une éducation générale relativement homogène, favorise le développement de compétences spécifiques au sein des entreprises, ce qui ancre le chercheur et, plus largement, le salarié dans son entreprise.

Le système public/privé

Idéalement, dans ce dernier système, la recherche est menée dans une optique de service public et s'effectue donc au profit du développement des connaissances. La puissance publique y joue un rôle essentiel, avec la mise en place de puissants instituts de recherche et un soutien significatif apporté aux universités. Sur le plan financier, la puissance publique soutient également de grands programmes associant institutions publiques de recherche et entreprises privées. Sur proposition des entreprises, c'est bien l'État qui retient ou non certains thèmes de recherche et développement, lesquels font alors l'objet d'appels d'offres gérés par ses soins.

Le rôle des institutions financières est relativement faible et le capital-risque peu développé. Les vrais vecteurs de l'innovation industrielle sont ainsi des groupes de moyenne et grande tailles à même de collaborer avec les organismes publics. Le rôle des petites entreprises innovantes est réduit dans l'industrie, un peu moins dans les services, mais son impact est sans commune mesure avec celui qui prospère dans le système de marché tel qu'il fonctionne aux États-Unis. Le tissu des grandes entreprises se renouvelle assez peu et forme des interlocuteurs à long terme avec la recherche publique. Le succès du système, quand il est là, est donc dû à l'efficacité de l'interaction public/privé.

Ce système, avec des différences nationales notables, est celui que l'on observe en Allemagne et en France. C'est également le modèle retenu en Chine avec une très grande ambition des pouvoirs publics et beaucoup de moyens.

Le rôle des États

L'option politique retenue, dans le domaine de l'innovation, est un choix majeur qui conditionne l'émergence et le profil de champions nationaux. Les politiques d'innovation ne se limitent donc pas à des mesures d'ordre technique, mais fixent des orientations de structure, qui sont de véritables positions idéologiques sur le rôle de la puissance publique. Ce choix met l'accent soit sur la liberté accordée aux entreprises, soit sur la solidarité entre partenaires public et privé.

Le modèle libéral d'innovation

Ce modèle, tel qu'il se manifeste en particulier aux États-Unis, place en son centre l'émergence de *start-up* appelées à devenir de très grandes entreprises. Cela ne veut pas dire que les entreprises établies n'utilisent pas l'innovation pour développer leurs activités. Mais la spécificité libérale est l'apparition d'entreprises innovantes comme successivement Microsoft, Yahoo !, Apple, Google et Facebook, qui deviennent des leaders mondiaux et rendent les entreprises antérieures obsolètes. Cela ne s'exerce pas uniquement dans le secteur des nouvelles technologies ; on retrouve le même phénomène dans le monde pharmaceutique. Le système d'innovation libéral est fondamentalement un système de destruction créatrice. Il a aussi comme caractéristique de rendre extraordinairement riches ceux qui ont su incarner le système, ainsi que ceux qui les ont soutenus. C'est donc un système très entrepreneurial, sanctionné par des rentabilités financières considérables.

Le modèle corporatiste

Dans ce deuxième modèle, l'État finance, coordonne, suggère, mais laisse l'initiative de la course à l'innovation aux grandes entreprises, comme c'est le cas au Japon. Ce sont les grands conglomérats, ou *keiretsu* en japonais, qui forment la colonne vertébrale de l'économie nipponne et de son effort d'innovation. Ces conglomérats sont formés d'un grand nombre d'entreprises variées, qui entretiennent des liens financiers tissés à partir d'un établissement bancaire. Les trois premiers conglomérats du pays contribuant à hauteur de 30 % au PNB japonais, il est facile de comprendre pourquoi le poids des firmes dans l'innovation est si lourd. La grande réforme de la recherche initiée par l'État en 1998 ne change pas véritablement la donne. Elle encadre plus rigoureusement la protection des brevets, dans la production desquels le Japon est l'un des champions mondiaux, et redynamise la recherche universitaire. Mais le déséquilibre entre recherches publiques et privées n'a pas été entamé par ces mesures. À la veille de la crise, le Japon se plaçait au premier rang de la recherche privée. Le secteur privé représente ainsi les trois quarts des financements pour la recherche et le développement, et l'écart entre financements privé et public ne fait que s'accentuer.

Ce modèle repose donc sur une décision politique forte qui fait de l'entreprise le porte-drapeau de la nation japonaise.

Le modèle coopératif

Dans le troisième modèle, dit coopératif, l'État est, au contraire, davantage impliqué, tant en France qu'en Allemagne, mais d'une manière assez différente de ce que l'on trouve aux États-Unis. L'État y joue un rôle d'impulsion pour la recherche privée. La recherche française se spécialise ainsi dans des secteurs comme le spatial, l'armement ou les transports, où la présence de l'action publique est importante. Outre-Rhin, les domaines de spécialisation, comme les composants et ensembles mécaniques et les logiciels industriels sont en lien avec la culture et le tissu industriels allemands. L'exemple des politiques de soutien aux PME innovantes est emblématique de ce système de complémentarité entre instances publiques et privées. L'Allemagne a en effet lancé en 2006 une stratégie dite de hautes technologies, consacrée à la mise en réseau des acteurs économiques et scientifiques. Les financements incitatifs se manifestent sous la forme d'une première prime pour les PME évoluant dans des domaines de technologie de pointe, et par l'instauration d'une prime supplémentaire destinée aux établissements d'utilité publique. L'objectif est de placer le secteur des PME, appelé *Mittelstand*, au cœur du processus d'innovation en accélérant les transferts de technologie et les flux d'informations au sein de technopôles et autres centres de compétitivité. Le *Mittelstand,* qui concentre 47 % de la valeur ajoutée nationale brute, comprend en son sein un noyau de plus de 100 000 entreprises innovantes. Centré sur la coopération entre secteurs privé et public, ce système d'innovation tient compte de la singularité du tissu et du profil économiques allemands. On le retrouve, avec

quelques variantes, en Scandinavie, où une plus grande initiative est laissée aux entreprises qui agissent en veillant à
l'adhésion sociale en leur sein et, en particulier, au dialogue
syndical. La recherche, pour sa part, y intègre davantage
des besoins sociaux comme l'environnement ou la santé.

L'action de l'État est cruciale dans cette promotion de
l'innovation, qui est la clef de la compétitivité des entreprises exerçant des métiers mondiaux. L'État dispose, en la
matière, d'une marge de manœuvre étendue, puisqu'il
décide des mesures fiscales, des contraintes légales, du
cadre éducatif ou de l'organisation territoriale qui gou-
vernent le système d'innovation retenu. Les trois systèmes
d'innovation dégagés donnent une idée de la latitude dont
il dispose pour mener à bien sa politique d'innovation. Le
premier modèle laisse coexister une innovation privée
encouragée et un domaine militaire qui apparaît comme la
chasse gardée de l'État. Le deuxième repose sur une délégation des politiques d'innovation de l'État aux entreprises.
Le troisième est construit autour d'une approche contrac
tuelle entre secteurs public et privé. Cette orientation du
système d'innovation n'est qu'un élément de l'ensemble
des décisions publiques qui influencent la stratégie des
entreprises. À l'instar du modèle actionnarial, c'est la cohérence et la continuité de ces choix qui est essentielle, c'est-
à-dire la mise en œuvre d'un véritable modèle de développement économique.

Chapitre 4

Les relations sociales

L'un des premiers constats que peut établir le responsable d'une entreprise opérant dans plusieurs pays est que les différences entre les marchés du travail sont substantielles et ne tendent pas, loin de là, à disparaître. Contrairement à ce que préconise une vision économique simpliste, il ne suffit pas de classer ces marchés en fonction de leur flexibilité ou du coût des salariés, pour en élaborer une typologie pertinente. En réalité, la situation est beaucoup plus complexe : au moins trois modèles différents de relations professionnelles peuvent être décrits.

La nature des métiers, le poids de l'État dans les relations sociales, la taille des entreprises et la culture de négociation entre partenaires sociaux sont autant de facteurs clefs, mais aussi de variantes dans la caractérisation des relations sociales. Ces différents modèles accordent une place plus ou moins importante au dialogue social et, par conséquent, aux syndicats. La puissance publique, quant à elle, reste déterminante dans les relations entre salariés et employeurs, puisqu'elle est à la fois le garant de la cohésion sociale et l'organisateur du marché du travail.

Les différents modèles de relations sociales

L'examen de la réalité sociale fait ressortir trois modèles de relations salariales[1] : le modèle coopératif, le modèle de la profession et la flexibilité de marché. Au sein de chaque entreprise, ces trois configurations sont susceptibles de coexister, mais un modèle dominant se détache toujours.

Dans le modèle coopératif, dit aussi de *stabilité polyvalente*, l'entreprise a besoin de salariés bien formés à des tâches spécifiques qui sont autant de « métiers de l'entreprise ». Par exemple, pour une entreprise fondée sur les produits verriers, le bon fonctionnement d'outils de production très techniques, liés à de lourds investissements automatisés, nécessite un long apprentissage et des réactions rapides et adaptées de la main-d'œuvre qui ne s'acquièrent qu'après une longue expérience. En cas d'incident technique, le savoir-faire et la rapidité de la réaction sont essentiels. La relation salariale de coopération qui est alors nécessaire, héritée en partie de la période d'après-guerre, repose sur la différenciation des produits par la qualité, tout en conservant certaines spécificités de la production de masse. C'est une configuration classique dans l'industrie. Elle développe un lien fort d'appartenance entre le salarié spécialisé et la firme dans laquelle il évolue.

Ce modèle a joué un rôle essentiel lors de l'essor de l'industrialisation, et donc particulièrement dans la période de forte croissance qui a caractérisé les Trente Glorieuses françaises de 1947 à 1974. L'industrie réalisait alors des

---

1. Cette analyse s'inspire directement de la note de la Fondation Saint-Simon intitulée *Les Relations salariales en France*, coécrite par Jean-Louis Beffa, Robert Boyer et Jean-Philippe Touffut.

gains réguliers de productivité, se traduisant par des hausses de pouvoir d'achat tout aussi régulières. En découlait une croissance de la consommation qui permettait elle-même le développement de l'économie. C'est le principe même du fordisme, qui s'accompagne d'un taux de rotation limité de la main-d'œuvre, d'un contexte de croissance soutenue et d'une concurrence limitée.

Ce cercle vertueux s'est interrompu pour deux raisons majeures. D'une part, la montée des métiers de service dans l'économie ne permettait pas les mêmes gains de productivité. D'autre part, la concurrence internationale a entraîné de fortes restructurations industrielles qui ont mis à mal la relation de confiance entre salariés et entreprises dans de nombreux secteurs, tels que la sidérurgie et la chimie.

Toutefois, même en cas de restructuration, ce modèle sait s'adapter. Afin de maintenir le meilleur dialogue possible avec son personnel, l'entreprise accorde des indemnités de départ importantes et souscrit à des plans destinés à aider à la reconversion du personnel, laquelle est souvent rendue difficile du fait de sa spécialisation. Des mesures de reclassement internes, dans d'autres secteurs de l'entreprise ou à l'extérieur, rendues possibles par un programme d'accompagnement et de formation sont mises ainsi en œuvre. La firme tente aussi d'attirer de nouvelles industries dans les sites menacés, afin de recréer de nouveaux emplois, même s'ils ne sont pas de la qualité des emplois antérieurs.

Un tel modèle de coopération peut se trouver érigé en principe de fonctionnement de l'ensemble des relations sociales, comme c'est le cas en Allemagne et au Japon. En France, il ne concernerait que 40 % des salariés.

Le deuxième modèle – celui de la *dominante professionnelle* – s'est développé récemment avec l'apparition de professions extrêmement qualifiées.

Dans un tel cas de figure, les détenteurs de compétences disposent d'une véritable « rente de situation », qui ne peut parfois se maintenir qu'en raison de l'évolution technologique rapide de ces métiers, que seules certaines personnes hautement spécialisées sont capables d'appréhender dans la durée. Il s'agit des *traders* travaillant sur modèles mathématiques dans les entreprises bancaires, des avocats d'affaires, des consultants, mais aussi des sportifs de haut niveau, voire de certaines vedettes de télévision, de cinéma, du spectacle, ou encore des écrivains à succès. Dans ces métiers, la fidélité de l'employé à l'entreprise est limitée, car il sait que sa compétence lui permet d'entretenir un rapport de forces avec son employeur, au moins pendant une certaine période. En effet, à l'exception de sa fin de carrière – parfois plus difficile –, l'employé, grâce à sa compétence largement reconnue au sein de la profession, n'a pas de difficulté à trouver un autre employeur, et donc à se retrouver en position de force.

La pénurie de l'offre face à la demande accroît encore sa marge de manœuvre. C'est le cas des hautes rémunérations dans le secteur de la finance. Le contrôle de la rente par les salariés de la finance s'explique par la mainmise qu'ils exercent sur le savoir-faire hautement qualifié. Les rémunérations des chercheurs des laboratoires pharmaceutiques, qui se trouvent pourtant au cœur de leur industrie, sont sans commune mesure avec celles des *traders*, parce que leurs employeurs sont protégés par les brevets qui leur assurent la propriété des molécules d'avenir. Au contraire, les produits financiers ne sont pas protégés juridiquement et sont facilement reproductibles dans une autre banque. Les *traders* sont donc en position de force, puisque l'actionnaire ne peut pas retenir le savoir-faire du salarié. C'est pourquoi les plus importants salaires des banques françaises sont 428 fois plus élevés avant impôt en 2006 que le salaire brut moyen, alors que celui du patron le mieux payé l'est 134 fois, celui de l'acteur le mieux rémunéré 132 fois, et celui du professeur certifié du secondaire 0,9 fois. Dans ce modèle, le rapport de forces entre le capital et le travail se déplace donc en faveur du travail, comme le confirme de façon exemplaire la difficulté actuelle à mettre en place, après la crise, un contrôle du niveau de la rémunération des *traders*.

La caractéristique de ce modèle est donc triple : la liberté de l'employé vis-à-vis de son employeur, l'absence de spécificité nationale dans la relation de travail et la dimension internationale de la profession.

En France, ce modèle concernerait 10 % des salariés dans le privé.

Le troisième modèle, celui de la *flexibilité de marché*, prévaut dans toutes les entreprises qui emploient des personnes peu qualifiées, et dont la compétence n'est pas spécifique à une firme donnée. Ainsi en va-t-il des métiers tels que celui de caissière ou de manutentionnaire, ainsi que de la plupart des professions dans l'hôtellerie, les tâches ménagères et les emplois de bureau peu qualifiés ; autrement dit, avec le développement des services peu qualifiés, une part croissante du marché du travail. Ce modèle partage avec le précédent un recours intensif à la mobilité des salariés et à la variabilité des horaires. Dans cette configuration, la fidélité à l'employeur est limitée, celle de l'entreprise vis-à-vis des employés ne l'est pas davantage car le taux de rotation dans ces métiers est important. Mais, contrairement au modèle précédent, en raison de l'importance de l'offre et de l'arrivée de jeunes générations de travailleurs peu qualifiés sur le marché, l'entreprise se trouve alors en position de force pour proposer des salaires bas.

En matière de protection sociale, ce modèle est à l'évidence inférieur aux deux autres. Alors que les salariés du premier modèle sont bien protégés par des droits allant de l'assurance santé complémentaire au droit à la formation, et que ceux du deuxième modèle peuvent s'offrir le luxe de s'en passer, les employés de ce dernier modèle sont dans ce domaine particulièrement démunis et forment la masse la plus importante des chômeurs. Ils sont également peu syndiqués, à l'inverse des métiers plus qualifiés.

Ce troisième modèle devient dominant en France, puisqu'il concerne au moins 50 % des salariés. Mais il importe également de comprendre que ces trois modèles, dont chacun correspond peu ou prou à un domaine d'activité, coexistent au sein d'une même entreprise. Ainsi, un grand restaurant est une hybridation du deuxième et du troisième modèle : le grand chef relève du deuxième, les employés de cuisine et les serveurs du troisième, qui est globalement dominant. Et pourtant, le droit du travail demeure unique et s'entête à ignorer ces très profondes disparités.

Le rôle du syndicalisme et du dialogue social

Selon le modèle adopté, le rôle du syndicalisme et l'intensité du dialogue social connaissent de grandes variations. Dans le premier modèle, le rôle du syndicat est privilégié et le dialogue social nourri ; le syndicalisme est bien implanté. Mais cette règle ne signifie pas que le syndicat soit tout-puissant et préempte toutes les fonctions de représentation et de défense des employés. Pour parfaire le dialogue social au sein de l'entreprise, les représentants des salariés en Allemagne qui siègent au conseil de surveillance ne sont pas nécessairement issus du syndicat de l'entreprise concernée, mais d'une entité qui est l'émanation de tous les salariés du secteur d'activité. Le syndicat a un rôle de conseil et de soutien de cette instance représentative des employés dans leur ensemble. De même, le syndicat ne se substitue pas au comité d'entreprise qui jouit de véritables pouvoirs. Les délégués du personnel se voient attribuer des droits de codécision à propos du début et de la fin des horaires de travail, d'information et de consultation lors de nouvelles embauches, de restructurations ou de licenciements qu'ils peuvent contester.

Dans le deuxième modèle, en revanche, le pouvoir s'exerce de façon asymétrique. Les salariés peuvent jouer d'un rapport de force qui leur est favorable : ils ont davantage de pouvoir que les entreprises pour des raisons qui tiennent à leur haut niveau de compétences et à la spécialisation de leur activité. Pour tenter par exemple de réguler les *traders,* ce sont les banques qui doivent trouver un accord, parler d'une même voix et, pour ainsi dire, se syndiquer. Le rapport de force entre salariés et employeurs jouant en faveur des premiers, étant donné les besoins du marché, ceux-ci ne ressentent pas la nécessité de se syndiquer.

Au contraire, dans le dernier modèle, les entreprises mettent les salariés en concurrence. Dans ce cadre de flexibilité du marché du travail, la principale difficulté du syndicalisme est de porter les revendications de salariés très précaires, qui ne cessent de changer d'employeurs. Le dialogue social passe alors par des discussions, non pas entre les salariés et les entreprises, comme dans le premier modèle, mais par secteur d'activité, c'est-à-dire au niveau des syndicats de branches professionnelles.

Ainsi, le lieu et la nature du dialogue social varient sensiblement selon le modèle : dialogue fréquent au sein des entreprises dans le premier modèle, dialogue social si l'on peut dire dicté par l'employé dans le deuxième, dialogue plus distendu de la fédération patronale avec le syndicat de branche dans le troisième.

Le rôle des États

Face à ce fractionnement du marché du travail en trois populations distinctes, l'État dispose dans le domaine des relations sociales de moyens importants et structurants. La relation d'emploi n'incombe pas uniquement à l'entreprise et aux employés. Des acteurs institutionnels comme les associations patronales, les syndicats et les ministères prennent part au jeu. L'État définit le cadre légal indispensable. C'est particulièrement vrai en France où les syndicats et le patronat disposent d'une faible autonomie normative. Les relations du travail ne relèvent pas seulement d'un droit contractuel issu des négociations collectives, mais elles ont également une origine réglementaire. L'État fixe en effet les règles du jeu permettant de définir le cadre des relations sociales, aussi bien par la loi que par la jurisprudence ou par l'application que les fonctionnaires font des textes édictés. Trois grandes conceptions idéologiques existent.

Dans l'approche libérale, la législation du travail est avant tout fondée sur le contrat de travail, lequel peut être rompu à tout moment selon des modalités bien définies, et sans recours pour le salarié. On constate dans cette logique libérale une décentralisation du niveau de négociation, une individualisation des contrats salariaux et des formes d'emploi, une recherche d'une plus grande réactivité à la conjoncture et un partage des risques de l'entreprise par les salariés. Le modèle se veut flexible tout en combinant des délais rapides pour les licenciements, des indemnités modérées, des responsabilités de reclassement faibles pour l'employeur. Il n'existe pas, aux États-Unis, de durée légale du travail. Il n'y a pas non plus d'obligation légale d'octroyer des congés annuels ou des jours fériés chômés,

53

ni de rémunérer de tels congés éventuels. Aucune législation ne contraint l'employeur à accorder à tout salarié un repos hebdomadaire. Pareille vision peut, dans certains cas comme aux États-Unis, coexister avec des secteurs très protégés par des syndicats y ayant établi leur pouvoir de longue date. Il en va ainsi de l'industrie automobile ou des syndicats de transporteurs, où le statut est beaucoup plus rigide que dans les pays européens, ce qui peut paraître contradictoire.

Mais ce double régime est parfaitement praticable aux États-Unis puisque le principe premier est le respect du contrat. Ce dernier peut donc varier considérablement selon les secteurs : il sera souple dans l'un, et rigide dans l'autre.

Une deuxième conception, dite réglementaire, correspond à un modèle qu'on retrouve principalement en Europe continentale. Elle inspire largement des textes législatifs et réglementaires dans des pays tels que la France, l'Espagne, l'Italie ou même, avec quelques variantes, le Japon. Elle détermine les conditions de l'emploi, le rôle des syndicats et la participation des salariés. Dans ce système, la gestion prévisionnelle des emplois et des compétences pèse en effet de tout son poids. En cas de licenciement, les modalités de reclassement sont scrupuleusement suivies, ainsi que l'examen de chaque cas particulier pour essayer de trouver des solutions appropriées. Les indemnités de départ sont élevées, et les entreprises s'efforcent d'aider les créations d'emplois dans les sites où elles en suppriment. En cas de licenciement, grâce aux services publics chargés de l'emploi, l'État joue un rôle important dans l'accompagnement du chômeur, en particulier dans le domaine de la formation.

En France, l'État reste le pivot des relations sociales, dans la mesure où les partenaires sociaux n'ont pas une tradition de négociation. Il dispose de leviers puissants comme les exonérations fiscales ou les aides financières. Il se trouve souvent à l'origine des nouveaux thèmes de négociation, comme lors du débat sur l'épargne salariale, qui a donné naissance à la loi de février 2001. L'État joue par conséquent un rôle d'animation du débat social, puisqu'il organise largement les grandes négociations au plan sectoriel entre employeurs et syndicats, fixe le niveau du salaire minimum et les règles en matière de temps de travail, de sécurité et d'hygiène.

Dans l'approche réglementaire, les syndicats sont absents des instances de décision stratégique, en dépit de la place qu'ils occupent dans la vie des entreprises. Cette participation syndicale à la stratégie des grandes firmes est au contraire l'une des particularités les plus nettes de la cogestion allemande. Les stratégies des firmes sont en effet exposées au regard des syndicats qui ont un droit d'information, de consultation et même de codécision. En France, les plans stratégiques des entreprises tiennent compte des environnements économiques, culturels et sociaux, et ne se limitent pas, comme dans l'approche libérale, à la simple prise en compte de l'intérêt des actionnaires et du respect du contrat de travail. Si le droit du travail codifie traditionnellement l'échange entre sécurité de l'emploi et de la rémunération et subordination des employés aux objectifs de la firme, l'essor des formules d'intéressement et de participation implique logiquement une implication à la gestion de la société. Le partage du risque, qui conditionne de plus en plus les rémunérations aux performances de l'entreprise, a pour corollaire une organisation qui met l'accent sur la collaboration entre capital et travail.

En Allemagne, la présence des représentants salariaux au conseil de surveillance des entreprises est en ce sens un élément essentiel de la stratégie des firmes comme des rapports sociaux. Au cœur de la cogestion, se trouve un sentiment fort et partagé de l'intérêt commun.

Les États ont donc à choisir entre plusieurs approches, de l'attitude libérale à la cogestion allemande, en passant par la voie plus hybride de la protection réglementaire. La cohérence de ce choix dépend pour une bonne part du modèle dominant de relations sociales dans chaque pays. Leur décision aura une répercussion directe sur le style de gestion des entreprises.

Le modèle coopératif rend plus aisée l'adhésion du personnel – ce qui est essentiel pour les entreprises exerçant un métier mondial en situation de forte concurrence internationale, et permet de pratiquer des politiques de long terme. Il instaure une définition consensuelle des objectifs de l'entreprise et une participation générale à sa stratégie. Un gel des hausses de salaire ou des mesures de réduction du temps de travail sont ainsi plus facilement acceptés, bien que cela demande un processus de négociation relativement long. En revanche, la recherche d'un rendement financier à court terme se prête particulièrement à l'approche libérale. Elle autorise en effet un ajustement quasi immédiat du nombre et du profil des salariés et des virages opérationnels rapides que ne permettent que plus lentement les autres modèles.

Chapitre 5

Les modèles économiques des États

Ces facteurs institutionnels, qui viennent d'être analysés – l'influence des actionnaires sur les entreprises, le système d'innovation et la nature de l'association des travailleurs aux décisions des entreprises –, dépendent largement du temps long, de l'évolution des mentalités et des compromis sociaux passés dans chaque pays, c'est-à-dire de la relation qui y prévaut entre capital et travail. Cette longue durée a été étudiée par des historiens et des économistes. Cette perspective fait de l'économie moins le produit d'événements que le résultat d'une configuration qui implique également les champs social, culturel et politique. Citons, à ce propos, l'historien Fernand Braudel dans *La Dynamique du capitalisme* : « Toute société dense se décompose en plusieurs ensembles : l'économique, le politique, le culturel, le social hiérarchique. L'économique ne se comprendra qu'en liaison avec les autres ensembles, s'y dispersant mais aussi ouvrant ses portes aux voisins, il y a action, interaction. » Et plus loin : « Une économie nationale, c'est un espace politique transformé par l'État, en raison des nécessités et innovations de la vie matérielle, en un espace économique cohérent, unifié, dont les activités peuvent se porter ensemble dans une même direction[1]. »

1. Fernand Braudel, *La Dynamique du capitalisme*, Flammarion, « Champs », p. 67 et 103.

Ainsi les économies nationales se retrouvent insérées dans un réseau de choix qui relèvent de la longue durée et qui les conditionnent fortement. Elles sont la conséquence de réflexes culturels, de traditions sociales et de grandes options politiques. Le modèle rhénan de cogestion, si particulier, prend par exemple ses racines dans les choix idéologiques destinés à résoudre la question sociale allemande au XIXᵉ siècle. La place de la finance au Royaume-Uni ne peut se comprendre sans référence à la constitution initiale du capitalisme anglais. Bref, les choix politiques d'un gouvernement s'inscrivent toujours dans une configuration déterminée par des mentalités collectives et des valeurs fondamentales, y compris religieuses, qui influencent de façon déterminante ces choix stratégiques. Il existe donc différents modèles qui structurent les actions des entreprises et expliquent le succès ou l'échec du développement économique d'un pays.

Les différents modèles

Le modèle libéral-financier

Celui-ci se définit par un retrait volontaire de l'État du jeu économique. Les pouvoirs publics se donnent comme objectif prioritaire d'assurer le fonctionnement des marchés, notamment financiers, et tout particulièrement celui des actions, donc de veiller au pouvoir des actionnaires sur les entreprises. L'État est seulement le garant du bon déroulement d'une économie libérale. Un autre point commun des pays appartenant à ce modèle est de ne pas considérer les déséquilibres de leurs balances commerciales comme un problème pour les pouvoirs publics. Le marché des changes seul doit pouvoir corriger les déséquilibres financiers. C'est pour cela qu'il est appelé *modèle libéral-financier*.

Depuis plus de quinze ans, sous l'impulsion de recommandations internationales portées par des institutions comme la Banque mondiale, le FMI, l'OCDE ou la Commission de Bruxelles, s'est installée une véritable promotion internationale de ce modèle. La crise qui a éclaté en 2008 a mis fin à cette publicité aveugle. En choisissant ce modèle standard, les États étaient supposés créer le meilleur environnement possible pour le développement économique de leur pays, la prospérité de leurs entreprises et l'augmentation du niveau de vie de leurs citoyens. On connaît désormais le résultat. Quels sont donc les traits essentiels de ce modèle ?

1. Un marché des capitaux pleinement libéral

La mobilité internationale des capitaux permet de limiter le pouvoir de négociation des États et des salariés. La puissance publique voit son pouvoir de régulation en matière de fiscalité du capital et des profits réduit, tandis que les salariés se retrouvent confrontés à une utilisation strictement financière des profits. Les institutions financières gardent une liberté d'implantation et d'action maximale. L'action de l'État réglementant les marchés financiers et les institutions financières est réduite au minimum. Les marchés sont autorégulés par les professions elles-mêmes, seules supposées capables de ne pas entraver l'innovation et la dynamique de croissance. On assiste ainsi à la délégation aux banques, considérées comme les entités les mieux placées pour apprécier les risques qu'elles prennent, de la gestion du bien public qu'est la stabilité financière. Les pratiques de technique financière comme les options, les swaps ou les produits dérivés ne sont que faiblement réglementées. Et rares sont les interférences des pouvoirs publics dans ce domaine. Cette délégation est une des causes directes de la crise de 2008.

2. La stratégie de l'entreprise aux ordres de l'actionnaire

Dans ce modèle libéral-financier, la primauté de l'actionnariat sur tous les autres ayants droit est considérée comme absolue. Ce choix a des conséquences très concrètes.

En premier lieu, des règles comptables sont définies pour que l'entreprise cotée sur le marché puisse être évaluée à tout moment (principe de la *fair value*, la « juste valeur »). C'est ainsi que la Commission de Bruxelles a instauré comme norme comptable européenne le système dit IFRS qui fait de la « juste valeur » le principe comptable essentiel, et non plus la notion de coût historique. La « juste valeur » s'inscrit dans une optique financière de vente de l'entreprise à tout moment. Par ailleurs, la primauté de l'actionnaire impose le rejet absolu de toute mesure de défense de l'entreprise par son conseil d'administration. Il s'agit ainsi de favoriser les opérations d'offre publique d'achat, y compris hostiles, l'entreprise fût-elle en situation de faiblesse temporaire. Dans cette logique, le rôle du personnel dans la gouvernance de l'entreprise n'est pas légitime. Seuls le sont le contrat de travail et ses limites. Toute participation statutaire du personnel telle que la cogestion allemande doit être proscrite.

3. Le système d'innovation favorisant les petites entreprises innovantes

Le système d'innovation se fonde d'abord et avant tout, comme on l'a vu, sur la concurrence entre les universités et la création de petites entreprises innovantes dont on espère qu'elles deviendront les futures grandes sociétés tant industrielles que, surtout, de service. L'aide à l'innovation doit être bien encadrée. Les jeunes chercheurs sont encou-

ragés à trouver rapidement des investisseurs pour développer leurs innovations.

4. Le marché du travail flexible

La flexibilité du marché du travail est érigée en principe
majeur de gestion des rapports sociaux, afin de permettre
des licenciements rapides et peu coûteux. Le marché du
travail est centré sur le contrat de travail entre employeur et
salarié. Il marginalise le poids syndical et les négociations
collectives, par lesquelles pourraient s'exprimer des revendications groupées. De même, tout salaire minimum, qui
pourrait empêcher les entreprises d'employer de façon pro-
fitable des personnes à bas salaire, est évité, et le droit de
grève est sévèrement encadré. Les indemnités de chômage
doivent être faibles et courtes, de façon à inciter vigoureusement à la reprise d'un travail rapide, quel que soit le
salaire ou la localisation du nouveau poste.

Les profondes inégalités de rémunération résultant de ce
modèle – par exemple entre les rémunérations des dirigeants ou des spécialistes du secteur financier et celles des
travailleurs ou des cadres du secteur non financier – sont
considérées comme normales. Elles sont même protégées
en tant que garantes de l'efficacité du modèle libéral-
financier, même si elles ne résultent que de spéculations
sans intérêt pour l'économie réelle.

5. La flexibilité des taux de change

La flexibilité des taux de change est la méthode la plus
simple pour résoudre le problème des déficits commerciaux
sans intervention de l'État. Cette flexibilité est fondée sur
un régime de changes flottants qui pose que la valeur des
monnaies varie sur un marché spécialisé. Elle doit en principe corriger les balances courantes déficitaires. En effet,
une balance déficitaire doit théoriquement provoquer une

dépréciation de la monnaie et, par conséquent, un retour à l'équilibre de la balance courante. Cependant que persistent des déséquilibres importants, surtout aux États-Unis, qui accumulent des dettes principalement à l'égard des pays asiatiques. Les banques centrales asiatiques, dont la balance courante est excédentaire, utilisent ce régime flexible pour transformer leurs réserves en fonds souverains. Grâce à ce mécanisme, la Chine accumule des réserves de change, qu'elle s'est forgées au prix de ses exportations, et rachète des bons du Trésor américain. Ce phénomène joue donc comme un soutien nécessaire au déséquilibre non corrigé de la balance commerciale américaine.

6. La politique de concurrence

Une politique de concurrence, favorable aux consommateurs, est nécessaire pour discipliner les entreprises. Les aides de l'État doivent être limitées et même sévèrement réglementées, afin d'éviter toute atteinte à l'exercice de la libre concurrence, même si cela a pour conséquence un affaiblissement des entreprises nationales face à leurs rivaux internationaux. Ce modèle préconise ainsi la libéralisation complète des échanges commerciaux internationaux avec le minimum d'entraves, qu'il s'agisse de droits de douane ou d'actions antidumping.

Dans ce modèle, la logique d'une entreprise et de ses dirigeants est avant tout dictée par des impératifs de rentabilité financière à court terme. L'organisation de l'entreprise préconise, pour ce faire, la dissociation entre un directeur général, gestionnaire de la firme (*chief executive officer* en anglais), et un président qui ne doit pas être choisi parmi les anciens dirigeants de l'entreprise, qui pourraient lui être trop attachés. Cette distinction entre direction et présidence garantit la priorité actionnariale, puisqu'elle tend à faire du respect prioritaire des droits des actionnaires la préoccupation majeure du conseil d'administration, en particulier en cas d'OPA. La continuité d'une stratégie ou le maintien d'un climat social de coopération ne sont pas considérés comme des éléments essentiels, dans la mesure où ils pourraient s'opposer au pouvoir des actionnaires.

On le sait, le modèle libéral-financier trouve ses meilleurs avocats dans les pays anglo-saxons. Ses partisans les plus convaincus sont le Royaume-Uni et les principales institutions financières du globe. Il est également largement soutenu par les États-Unis, mais avec certaines nuances. L'État américain veille en effet à ce que ce modèle ne puisse pas affaiblir ses entreprises nationales stratégiques, le credo libéral américain trouvant ses limites dès que semble mis en cause l'intérêt militaire du pays. Contrairement aux principes théoriques du modèle libéral-financier, les sociétés relevant du complexe militaro-industriel bénéficient de très fortes protections et de considérables subventions publiques.

Les années 2007-2008 ont révélé les dérives de ce modèle. Les excès, maintenant largement dénoncés, de nombreuses entreprises financières, qui ont provoqué la bulle de l'endettement, ont occasionné la crise actuelle dont l'ampleur est telle qu'elle affecte durement tous les pays de la planète, y compris ceux qui n'avaient pas adopté le modèle libéral-financier.

Ses effets néfastes étant désormais reconnus, se pose alors une double question. D'abord celle concernant son avenir : sera-t-il conservé à l'identique, ou remplacé par un modèle qui gardera l'essentiel de son idéologie et de ses principes d'action, tout en corrigeant ses excès ? Ensuite, quels choix feront les États-Unis et le Royaume-Uni, ses plus ardents porte-parole et aujourd'hui parmi les pays les plus touchés par la crise ? New York et Londres garderont-ils leur rôle de places financières dominantes ? La deuxième partie de ce livre, qui traite des évolutions de l'après-crise, s'efforcera de répondre à ces questions.

Le modèle commercial-industriel

Rôle central de l'État, dialogue social, excédents commerciaux, ce deuxième modèle tranche radicalement avec le modèle libéral-financier. Il accorde ainsi une large place à l'action publique pour stimuler la croissance des entreprises. Il regroupe les pays aux balances commerciales fortement excédentaires, comme le Japon, l'Allemagne ou la Chine, mais on peut également y rattacher la Corée du Sud et aussi un pays scandinave comme la Finlande. Ce regroupement de nations de différentes tailles et de niveaux de développement hétérogènes se justifie par la relation particulière qu'y entretiennent les États et les entreprises.

Dans ces pays, l'État mène des politiques économiques spécifiques afin de soutenir, de façon prioritaire, les capacités exportatrices du pays qui conditionnent son indépendance, sans assurer une responsabilité directe de gestion des entreprises, comme c'était le cas dans les régimes communistes. Ces politiques concernent en particulier les stratégies industrielles, le soutien à la recherche et développement, et la place de l'actionnariat au sein des entreprises. Elles ne sont pas protectionnistes et soutiennent un libéralisme des échanges des biens et des services, mais pas du capital, qui n'est pas considéré comme un bien parmi d'autres. Ces choix fondamentaux, opposés à ceux du modèle libéral-financier, conduisent à le qualifier de *modèle commercial-industriel*. Il a pour lointain ancêtre une attitude bien connue en France, le mercantilisme ou néo-colbertisme. Son principal objectif est l'autonomie nationale. Quels sont ses traits essentiels ?

1. Une politique mercantiliste fondée sur l'exportation

Le modèle commercial-industriel repose essentiellement sur la volonté d'avoir une balance commerciale positive, dont la composante principale est la production de biens et non de services. Les chiffres montrent en effet que la vente de services reste, en volume de devises, trop faible par rapport à l'exportation de biens. Certes, dans le développement économique d'un pays, les services jouent un rôle essentiel dans l'emploi, notamment peu qualifié, mais malgré l'importance de ce qu'on appelle « l'économie de la connaissance », les services n'ont pas d'effet fondamental sur le solde du commerce extérieur, c'est-à-dire sur la relation d'un pays avec les autres pays. Pour parvenir à ce solde positif, il n'y a pas de substitut à l'industrie. Un pays qui adopterait ce modèle, en se spécialisant dans le domaine des services, n'atteindrait pas son objectif. L'objectif poursuivi est donc clair : contraints d'importer une majeure partie de leurs matières premières et de leur énergie (importations qui vont devenir de plus en plus coûteuses avec le développement économique de la planète), ils veulent vendre au monde extérieur plus qu'ils ne lui achètent. À cet égard, l'État joue un rôle déterminant.

Les pays qui ont opté pour ce modèle considèrent tous qu'une technologie avancée est essentielle pour mener à bien leur politique. Ils la mettent néanmoins en œuvre selon différentes modalités.

En Allemagne, cette politique, favorable à l'emploi industriel des travailleurs du pays, s'accompagne d'une collaboration étroite entre le patronat et les syndicats, quitte à demander aux syndicats des sacrifices pour maintenir la compétitivité du pays. Dans ce cas particulier, le rôle de l'État est pour l'essentiel de bien veiller au maintien de la coopération entre syndicats et directions des entreprises.

Au Japon, l'action du gouvernement n'emprunte pas le même chemin. La politique d'éducation, la défense active de la recherche fondamentale, ainsi que le soutien massif à l'effort privé d'innovation des entreprises, font de la productivité, de la compétitivité et de l'avance technologique des entreprises exportatrices la priorité nationale. Cette stratégie a pour complément l'acceptation d'une faible productivité dans les services, comme la distribution ou le secteur bancaire. Ceux-là ont pour objectif de contribuer au maintien de l'emploi.

En Chine enfin, une mise en œuvre spécifique est intervenue ces dernières années. Tirant parti de son immense population de travailleurs qualifiés à très bas salaires, elle s'est lancée dans une politique massive d'exportation. À une vitesse vertigineuse, inédite dans l'histoire, elle s'est emparée d'une part croissante de marché dans de très nombreux secteurs industriels. Cette politique, qui s'est accompagnée d'une désindustrialisation massive aux États-Unis et en Europe, a eu pour conséquence de constituer rapidement en Chine des réserves de change considérables, qui jouent aujourd'hui un rôle essentiel pour le financement à la fois du déficit commercial et du déficit budgétaire américains.

2. Un marché du travail encadré

En Allemagne, les négociations entre patronat et syndicats ont pour but de rendre les entreprises compétitives sur le plan international. Par le biais de la cogestion, les syndicats veillent, au sein des conseils d'administration en particulier, à ce que leurs concessions salariales soient compensées par un effort d'investissement en faveur de l'emploi national et par des avances technologiques.

Au Japon, le marché du travail est dual, partagé entre un segment concurrentiel tourné vers l'exportation et un secteur peu productif dont la priorité est de conserver les emplois, selon les souhaits des syndicats, du patronat et du gouvernement.

La fixation des revenus en Chine tient compte de la contrainte externe. Le marché du travail y reste très concurrentiel afin de permettre le développement industriel le plus rapide possible.

3. La gouvernance des entreprises favorise le long terme

Dans ces trois pays, les textes législatifs et réglementaires protègent les entreprises de tout pouvoir excessif des actionnaires, et en particulier de toute OPA hostile. Mieux : l'actionnariat se satisfait de voir les entreprises se consacrer en priorité au développement industriel à long terme, et non à la rentabilité financière.

Dans le modèle commercial-industriel, le consensus national entre l'État et les partenaires sociaux a pour but principal d'éviter les déséquilibres issus de la mondialisation et de maintenir l'autonomie du pays. La crise actuelle a conforté les États qui ont fait ce choix. En raison de leur dépendance aux exportations, ces pays ont certes été touchés par la crise une fois qu'elle a atteint l'économie réelle. Mais on voit dès à présent que cette faiblesse a été conjoncturelle, et que le modèle commercial-industriel, au contraire du modèle libéral-financier, a le vent en poupe. La demande énergétique pesant de plus en plus sur les économies étant donné la croissance des besoins, le fait que les échanges commerciaux dégagent des excédents prend une importance décisive.

Deux autres modèles existent, le modèle rentier et le modèle autocentré, que l'on va décrire. Mais ces deux modèles relèvent beaucoup moins du seul choix de l'État que les modèles libéral-financier et commercial-industriel.

Le modèle rentier

Ce troisième modèle caractérise les pays richement dotés en ressources naturelles. C'est le cas des Émirats arabes unis et de l'Arabie Saoudite, championne des réserves pétrolières, ou de la Russie, qui se place au premier rang des ressources en pétrole et gaz naturel. Ces pays visent davantage à conforter leur poids politique sur la scène internationale que leur développement économique.

Pour ce faire, l'État détient un quasi-monopole sur l'exploitation des richesses du sous-sol. Cela passe par le règne sans partage de sociétés énergétiques nationales. Ces compagnies publiques qui rivalisent avec les grandes sociétés énergétiques occidentales ont la main sur les principales réserves en hydrocarbures, bien qu'elles soient moins avancées techniquement que leurs concurrentes internationales privées. La société Gazprom, contrôlée par l'État russe, est le premier exploitant et le premier exportateur de gaz au monde ; elle produit environ 90 % du gaz naturel russe. La Saudi Aramco possède également la quasi-intégralité des ressources énergétiques du royaume saoudien et est, de loin, la première compagnie pétrolière mondiale.

Cette mainmise publique sur la manne pétrolière et gazière se traduit par des excédents des balances commerciales et des réserves de changes, comme c'est le cas pour les pays de la péninsule arabique, pour la Russie ou encore l'Algérie. Les réserves de devises étrangères jouent un rôle majeur dans le financement des autres pays, en particulier des déficits des pays du modèle libéral-financier, le Royaume-Uni et les États-Unis en tête. En effet, ces réserves, qui sont des avoirs détenus par les banques centrales en devises étrangères, prennent la forme de bons et obligations du Trésor d'États étrangers. Les pays rentiers soutiennent ainsi les déséquilibres des économies occidentales. La demande énergétique étant croissante, les pays du modèle rentier vont donc voir leur puissance financière croître dans les prochaines années.

Cette puissance énergétique et financière est davantage consacrée au rayonnement politique qu'au développement économique. Parmi les pays exportateurs, la croissance est plus faible pour les pays qui exportent des matières premières que pour ceux qui vendent des produits manufacturés. Et elle ne profite bien souvent qu'à des groupes politiques, militaires et commerciaux restreints. Leurs monnaies, par ailleurs, se valorisent par rapport à celles des pays importateurs, ce qui freine l'export d'autres biens que les ressources énergétiques. Ainsi, la conversion de la rente pétrolière ou gazière en un avantage compétitif lié aux services ou aux produits manufacturés se trouve compromise.

À cela s'ajoute le monopole d'État sur la distribution des rentes qui ne favorise que très rarement une allocation efficace des ressources. Ce phénomène explique la faible diversification des économies des pays rentiers, qui sont marqués par d'importantes inégalités sociales. Les hydrocarbures représentent l'essentiel du revenu national, mais leur exploitation nécessite peu de main-d'œuvre. Et la forte volatilité des prix des matières premières, nettement supérieure à celle des produits industriels, ne pousse guère à l'instauration d'une économie stable et homogène. C'est pourquoi certains pays, comme l'Iran, la Russie, le Venezuela, l'Algérie, le Nigeria ou l'Irak, peinent à transformer en développement économique interne leurs richesses naturelles. Pour eux, les moyens financiers tirés de leurs ressources naturelles ne sont pas au service d'une montée en gamme de leur économie, car là n'est pas leur priorité. Ils recherchent avant tout un pouvoir d'influence sur la scène mondiale, comme le montrent en particulier l'Iran et la Russie.

Le modèle autocentré

Le quatrième modèle concerne les pays qui donnent la priorité à une croissance d'abord centrée sur la demande interne. Il concerne des États de grandes dimensions à système politique démocratique, comme l'Inde et le Brésil. La taille et les potentialités de leur marché intérieur leur permettent d'amoindrir les conséquences sur leurs économies domestiques des variations de l'économie mondiale. Ces pays ont choisi un modèle de croissance centré sur la satisfaction des besoins du marché domestique. L'Inde met en œuvre une telle politique. Cette économie-continent bénéficie d'institutions politiques et économiques stables, d'une classe d'entrepreneurs et d'élites politiques et intellectuelles engagées dans un projet de développement économique national. Le gouvernement se donne alors comme objectifs la croissance interne et une forme de stabilité politique et sociale. Il n'intervient que pour corriger les déséquilibres les plus manifestes. Dans ce cas, l'équilibre de la balance commerciale reste un objectif, mais non la recherche d'un excédent structurel.

Dans les pays autocentrés, les infrastructures, notamment portuaires, restent sous-développées, ce qui traduit une certaine fermeture sur le marché intérieur, tant en Inde qu'au Brésil. Les problèmes d'éducation de masse demeurent très importants, ainsi que la lutte contre les inégalités sociales, nécessaire pour éviter les tensions politiques. Les sociétés nationales se développent bien. Les multinationales étrangères y sont les bienvenues, plus encore au Brésil qu'en Inde. Les marchés restent ouverts. Le protectionnisme dans le domaine industriel, auquel adhéraient antérieurement ces pays, est en voie de régression. La lutte contre l'inflation est un facteur important, et le choix est fait d'une gestion assez solide de la monnaie. La bureaucratie pèse encore, mais l'efficacité du secteur privé est reconnue. Le principal défi est de voir la croissance économique aller plus vite que le développement démographique, toujours rapide dans ce type de pays. Les classes fortunées restent pour l'instant sensibles au maintien d'une assez forte solidarité avec les classes plus pauvres, plus qu'en Chine par exemple. Les problèmes de développement des infrastructures, d'alimentation en eau, d'assainissement et de sécurité demeurent encore fondamentaux, et les zones agricoles restent pauvres. Ces pays se développent donc, mais avec une lenteur qui résulte notamment du choix en faveur de la démocratie.

Le modèle autocentré est en somme fondé sur une prérogative donnée au marché domestique, une forte autonomie face au marché mondial et des institutions démocratiques stables.

Les choix idéologiques et la formation de l'avantage compétitif

L'adaptation des stratégies des entreprises à l'environnement proposé par l'État conduit à l'émergence d'un avantage compétitif.

L'évolution des pays au sein de chaque modèle ou encore les changements de modèle au sein d'un pays sont l'œuvre consciente ou inconsciente de stratégies publiques, incarnées par les votes de majorités parlementaires ou par des décisions de justice faisant jurisprudence. L'examen du cas français, on le verra plus loin, montre l'influence profonde de choix politiques qui ont considérablement modifié l'environnement des entreprises nationales.

Il revient aux entreprises d'adapter leurs stratégies à ces dynamiques institutionnelles. Ce sont elles qui transforment les potentialités des modèles en avantages concurrentiels et en rentabilité économique. Une mauvaise lecture, de la part d'une entreprise, du cadre institutionnel dans lequel elle évolue peut se révéler pénalisante. Attendre, par exemple, des actionnaires qu'ils envisagent sur le long terme leurs décisions quant à l'avenir de l'entreprise et tiennent compte de son intérêt social est incomparablement plus difficile en Grande-Bretagne qu'en Allemagne.

Les complémentarités entre les stratégies publiques et les stratégies privées sont donc essentielles. C'est avant tout la cohérence entre ces stratégies d'État et d'entreprises qui est le moteur du développement économique. Cette cohérence, de différente nature selon ces quatre modèles, permet d'expliquer la performance des firmes des différents pays. Dans chaque pays, les entreprises que l'on peut appeler *entreprises phares* sont celles qui parviennent à mobiliser toutes les ressources de l'environnement économique créé par l'État pour être en situation favorable face à la concurrence nationale ou mondiale. Elles incarnent la nature et la force de l'avantage compétitif du pays.

Au fil du temps, ces entreprises les mieux adaptées à l'environnement d'un pays et avantagées par l'action des institutions sont privilégiées. Réciproquement, elles mettent en valeur, au service du pays, leurs avantages objectifs, tels que le coût des salaires et de l'énergie ou les compétences accumulées, en particulier dans le domaine technologique. Ainsi se crée ou non une interaction fructueuse entre les facteurs institutionnels et les entreprises phares d'un pays. C'est le résultat de cette interaction, quand elle est satisfaisante, qui constitue l'avantage spécifique d'un pays, que l'on peut aussi appeler son avantage compétitif. Au bout du compte, l'issue de la bataille entre les États dépend de la capacité des entreprises-phares à transformer l'environnement institutionnel qui leur est donné en réel avantage concurrentiel.

L'avantage économique d'un pays favorise l'apparition d'un type précis d'entreprise. Le tableau ci-dessous offre des exemples concrets pour chacun des principaux pays – à l'exception de la France qui sera traitée dans un chapitre à part, en présentant les avantages compétitifs qui y sont créés et les entreprises phares qui les incarnent.

Avantages comparatifs des États

États	*Avantages compétitifs*	*Entreprises-phares*	*Exemples*
États-Unis	Système d'innovation	Grandes entreprises innovantes Complexe militaro-industriel Banques de Wall Street	Microsoft, Apple, Google, Genetech… Lockheed… Goldman Sachs, JP Morgan…
Chine	Coûts salariaux Esprit entrepreneurial privé et public	Grandes entreprises publiques et privées	Huwei, Dongfeng Motor, Haier…
Allemagne	Relations sociales	Grandes entreprises exportatrices Entreprises du secteur des biens d'équipement	Siemens, Thyssen Krupp, BASF Le *Mittelstand*

Japon	Système d'innovation	Grandes entreprises industrielles de haute technologie	Nikon, Toyota, Kyocera…
Royaume-Uni	Compétences financières	La City	Des centaines d'acteurs : fonds spéculatifs, courtiers, avocats, banques d'affaires, de financement…
Russie	Ressources énergétiques et produits de base	Groupes publics énergétiques et de produits de base	Gazprom, Rusal…
Brésil	Matières premières industrielles et agricoles Compétences industrielles nationales	Grandes entreprises Filiales brésiliennes de leaders mondiaux	Vale do Rio Doce, Petrobras… Volkswagen, Saint-Gobain, GDF Suez, Air Product…
Inde	Compétences en logiciels Compétences industrielles nationales	Grandes entreprises informatiques Grands conglomérats privés	Infosys, Tata Consulting… Tata Group, Reliance…

DEUXIÈME PARTIE

LA CONSTRUCTION
D'UN NOUVEL ORDRE MONDIAL :
VAINQUEURS ET PERDANTS

La première partie a examiné les stratégies des entreprises dans la mondialisation et les actions possibles des États pour favoriser leurs firmes nationales. Elle a dégagé quatre grands modèles économiques que peuvent suivre les États : le modèle libéral-financier, le modèle commercial-industriel, le modèle autocentré et le modèle rentier.

Comment cette grille d'analyse s'applique-t-elle maintenant à l'examen de la situation économique des principales puissances ? Quel choix de modèle ont-elles faits ?

Il convient, pour répondre à ces questions, d'évaluer les avantages et les handicaps de chaque pays et les choix idéologiques qui y ont été faits. Cette perspective permettra d'identifier les gagnants et les perdants de la mondialisation et de la crise de 2008. Elle permettra aussi de rendre compte des cas particuliers français et européen.

Chapitre 6

La Chine

Du déclin au réveil

Jusqu'au XIXe siècle, la Chine est la première puissance mondiale. Elle est bien plus vaste, bien plus peuplée et bien plus puissante qu'aucun autre pays, qu'il soit asiatique ou européen. Le PIB chinois en 1820 surpasse celui de l'Europe occidentale et des pays d'immigration européenne conjugués [1]. Ce niveau de revenu s'explique par deux atouts existant dès le Ve siècle de notre ère : précocité technique et administration organisée fondée sur le mérite. La Chine, d'un point de vue scientifique et technique, se situe parmi les pays les plus avancés depuis deux mille ans ; elle a découvert en particulier la poudre à canon, le papier et la boussole.

De 1100 à 1433, la marine marchande chinoise est la force commerciale la plus dynamique d'Asie. Elle visite les côtes orientales de l'Afrique, la mer Rouge, les îles de Java et de Sumatra, le Japon, la Corée... Sa technologie maritime est alors plus avancée que celle de l'Europe. Mais à partir du XVe siècle, en proie à des difficultés internes, la Chine tourne le dos à l'économie mondiale. Son élite manifeste un intérêt très faible au développement des relations avec l'Occident

1. Cf. Angus Maddison, *L'Économie mondiale, une perspective millénaire*, Études du centre de développement de l'OCDE, OCDE, 2001.

79

et à l'échange du savoir-faire technique. S'amorce alors une phase de stagnation qui, sous le double coup de la pénétration commerciale occidentale et de la pression japonaise, se change en déclin à partir du XIXe siècle. La prise de Hong Kong par les Britanniques en 1842 permet l'échange de l'opium indien contre le thé chinois, tandis que l'expédition menée de 1858 à 1860 par la France et la Grande-Bretagne ouvre le marché intérieur chinois. Les traités de commerce qui s'ensuivent abaissent les droits de douanes, autorisent les étrangers à parcourir l'Empire du Milieu. Rapidement, les puissances occidentales acquièrent le contrôle des ports et du commerce extérieur chinois. Certains territoires sont même « cédés à bail ». Parallèlement, le Japon exerce une menace croissante sur la souveraineté chinoise. À la fin du XIXe siècle, la Chine cède au Japon son pouvoir sur la Corée et Taïwan. Elle doit également lui verser des indemnités colossales et lui reconnaît le droit d'ouvrir des usines sur le sol chinois. L'impérialisme japonais culmine lors de la prise de la Mandchourie en 1931, suivie par l'offensive de 1937 qui déclenche la guerre entre la Chine et le Japon.

Pour la Chine, les XIXe et XXe siècles sont une période de recul, d'un point de vue politique et économique. Comme le montre le tableau ci-dessous, la part de la Chine dans le PIB mondial chute fortement après 1820.

Pourcentage du PIB mondial

Année	Continent américain	Europe	Chine	Inde
1000	0,7	13,4	22,7	28,9
1500	0,5	23,9	25	24,5
1820	1,9	32,3	32,9	16
1913	21,7	46,6	8,9	7,6
1950	30,6	39,3	4,5	4,2

SOURCE : Angus Maddison, *L'Économie mondiale, une perspective millénaire*, Études du centre de développement de l'OCDE, OCDE, 2001.

À cet égard, le retour actuel de la Chine au premier plan de l'économie mondiale n'est pas une révolution, mais la simple reconquête de sa position historique.

Après la mort de Mao en 1976, Deng Xiaoping prend le contrôle du Parti. En décembre 1978, il lance le programme des Quatre Modernisations – agriculture, industrie, technologie et défense nationale – qui marque le début de l'ère des réformes et dont les objectifs sont l'indépendance économique et la modernisation du pays, au moyen de l'augmentation des échanges commerciaux et de l'ouverture progressive du marché chinois. Des zones économiques spéciales sont créées le long du littoral pour arrimer le pays à l'économie mondiale. Shenzhen, par exemple, n'est qu'un village en 1979, lorsque cette nouvelle politique de socialisme de marché est lancée. En 1998, c'est devenu une ville de 4 millions d'habitants. Aujourd'hui, elle en compte 19 millions. L'Université chinoise, mise à bas par la révolution culturelle, se reconstruit en s'ouvrant à l'international. De 1979 au milieu des années 1980, des milliers d'étudiants sont envoyés dans les universités américaines et européennes. Ces réformes inaugurent des décennies de croissance proche de 10 % en moyenne, ce qui représente plus de trois fois la croissance moyenne mondiale. Connaître pendant plus de deux décennies une croissance à deux chiffres est une véritable exception de l'histoire mondiale.

La Chine est d'abord devenue un acteur majeur des industries de main-d'œuvre. Elle s'est spécialisée dans la production manufacturière de basse qualité ou dans l'industrie textile, grâce à une main-d'œuvre très peu coûteuse et abondante, et a profité d'un taux de change très avantageux. Signe de l'intégration de la Chine à l'économie mondiale, le pays est membre de l'Organisation mondiale du commerce depuis 2001. Elle aborde maintenant un nouveau tournant de son histoire.

Les fondements de la reconquête

La volonté politique

Il ne faut pas s'y tromper : derrière la croissance économique, se trouve une volonté de renaissance politique. Le XIXᵉ siècle s'apparente à un virage manqué pour l'Empire du Milieu. La Chine y subit une stagnation économique, des troubles sociaux et des ingérences occidentales de plus en plus poussées. Les prises de position occidentales et japonaises sur le sol chinois sont vécues comme des humiliations. Cette période de concessions économiques a profondément marqué les élites chinoises, qui estiment aujourd'hui que leur pays doit retrouver le rang qui fut le sien. Leur objectif n'est pourtant pas de remplacer la puissance américaine et de jouer un rôle messianique sur la scène internationale. La Chine ne cherche pas à imposer une vision du monde, à l'instar des États-Unis qui se sont donné pour vocation d'exporter la démocratie ou les droits de l'homme. Elle ne tente pas de convertir toute la planète à ses valeurs nationales. Elle vise avant tout la maîtrise de son bassin régional asiatique et son autonomie de décisions.

En ce qui concerne les affaires intérieures, sa politique manifeste d'abord une volonté de contrôle. Le risque historique majeur pour la Chine est l'éclatement. L'histoire chinoise est rythmée par les dissensions géographiques ; l'unité nationale est par conséquent une obsession des élites dirigeantes et également des classes moyennes. Cette volonté d'union nationale, centrée sur la reconquête d'un rang perdu sur la scène mondiale, explique que les aspirations démocratiques ne soient que secondaires. L'histoire chinoise, marquée par les luttes régionales puis par les incursions étrangères, fait ainsi de l'unité nationale un ciment absolu. On le voit dans la répression des volontés de séparatisme du Tibet ou des Ouïgours au Xinjiang.

L'organisation gouvernementale

L'organisation gouvernementale est incarnée par le Parti communiste chinois, qui a le pas sur tout. Dans les régions ou dans les municipalités, l'homme le plus important est le représentant du Parti. Mais ce dernier ne se substitue pas aux autres pouvoirs en place. En réalité, différents pouvoirs coexistent, si bien que l'organisation gouvernementale chinoise donne l'impression d'un système sophistiqué d'équilibre des pouvoirs et de préparation des relèves. Cette répartition des pouvoirs s'organise autour de deux grandes tendances. La première rassemble des hommes issus de la région de Shanghai et qui ont porté le développement économique, comme Jiang Zemin, président jusqu'en 2003. La seconde regroupe les hommes originaires de familles de la région d'Anhui, à l'ouest de Shanghai, dont le chef de file est Hu Jintao, l'actuel président. Les fonctions clefs se répartissent entre ces deux tendances.

Parmi ces élites politiques, la proportion d'ingénieurs est très majoritaire. Elle explique l'importance accordée à la planification économique et à l'approche rationnelle dans la conduite des affaires chinoises. L'équilibre des pouvoirs se retrouve au niveau suprême : à côté des titres de secrétaire général du Parti, de président de la République populaire et de Premier ministre, la fonction de président de la commission militaire centrale du Parti est la plus essentielle. Elle permet au président sortant de contrôler son successeur et de conserver une grande influence. Ces fonctions sont occupées en alternance par les deux grandes tendances politiques.

Néanmoins, il n'existe pas de système électoral qui ferait de chaque homme politique le représentant d'une région. Gestionnaire, le Parti communiste vise le développement national. Ainsi, à partir du moment où l'essor des provinces centrales a été décrété, les dirigeants des provinces côtières y ont été mutés. L'échelon régional s'efface devant un système centralisé qui recherche l'équilibre national. La crainte de l'anarchie, à laquelle pourrait conduire un trop fort sentiment d'injustice sociale, rend indispensable la centralisation du développement économique, contrairement au cas indien.

L'organisation gouvernementale chinoise est donc à la fois centralisée, dirigiste, équilibrée et complexe. En Chine, le pouvoir est fort, mais les alternances politiques ne sont pas brutales, ce qui est un gage de continuité de l'action politique.

La planification économique

La planification chinoise est un ensemble réfléchi de plans emboîtés cumulant long et court termes. Contrairement à la tradition des planifications communistes, cette politique dirigiste est respectée et équivaut à un vrai mode de gouvernance. Le développement des infrastructures montre, d'une part, que cette planification économique est bien en ordre de marche et, d'autre part, qu'elle est de nature à la fois stratégique et opérationnelle. L'accent a en effet été mis sur la construction de nouveaux ports, l'extension des réseaux autoroutier, ferroviaire, électrique… Entre 1998 et 2005, la Chine a consacré 8,2 % de son PIB au développement de ses infrastructures, contre 4 % en Inde. C'est la bonne qualité de ces infrastructures qui explique

que, depuis dix ans, la Chine ait attiré dix fois plus d'investissements étrangers que son voisin indien. L'importance accordée aux réseaux de transport relève aussi de motifs politiques. La construction de la ligne de chemin de fer à grande vitesse qui relie le Tibet au centre du pays permet un meilleur contrôle politique. Contrairement au cas indien, où le décollage économique s'est opéré par poches de développement, la Chine fait montre d'une volonté de croissance économique équilibrée entre les différents territoires. Aujourd'hui, le voyage de 1 068 kilomètres entre Wuhan et Guangzhou s'effectue en trois heures, contre dix en 2009. Le réseau de train à grande vitesse chinois est plus étendu que tous les autres réseaux mondiaux combinés. L'interconnexion assurée par ce nouveau réseau de transports sert à limiter le risque de séparatisme régional.

Un marché gigantesque

Deux phénomènes expliquent le gigantisme du marché chinois. La première raison, évidente, tient au poids démographique. La seconde, à la croissance de l'économie et à la volonté de plus en plus affirmée de tourner le dynamisme de l'économie vers la croissance du marché intérieur. Ce tournant est relativement récent. La consommation a connu une vive progression ces dernières années. Les achats de voitures et d'appareils électroménagers n'ont pas fléchi durant la crise. De manière générale, les ventes au détail ont augmenté, depuis 2003, de 21 % par an en moyenne, contre 3 % aux États-Unis. À ce rythme, moins de cinq ans suffiront aux ventes de détail chinoises pour dépasser en valeur les ventes américaines.

Tous les secteurs de l'économie chinoise sont concernés. Les ventes de voitures ont progressé de 40 % en 2009, en pleine récession mondiale. Tous les mois, le pays compte

6 millions de nouveaux abonnés à la téléphonie mobile. Aujourd'hui, un Chinois ne prend en moyenne l'avion qu'une fois tous les dix ans, contre une fois par an pour un Européen. Et le marché de l'aéronautique chinois représentera plus de 20 % du marché mondial en 2020. Les marges de progression restent donc considérables dans pratiquement tous les domaines.

Les coûts salariaux

La puissance économique chinoise est fondée pour une large part sur la compétitivité de ses coûts salariaux. À compétence pratiquement égale, le coût horaire d'un col bleu en Chine est trois fois moins élevé qu'au Brésil, dix-huit fois moins qu'en Grande-Bretagne, vingt fois moins qu'au Japon ou qu'aux États-Unis et trente fois moins qu'en Allemagne ou en France. Les produits issus de ce système de sous-traitance à main-d'œuvre compétitive arrivent souvent en Europe ou aux États-Unis avec des avantages de coût de 20 à 40 %, coût de transport compris.

En ce qui concerne les professions plus qualifiées, les écarts salariaux sont également importants pour un même niveau de formation ; un ingénieur junior coûte dix fois moins à son employeur en Chine qu'aux États-Unis, un ingénieur confirmé cinq fois moins, un chef de département trois fois moins. Or, pour bon nombre de produits technologiques, la masse salariale des ingénieurs représente l'essentiel du coût de développement du produit. Si, en moyenne, pour le prix d'un ingénieur américain il est possible de faire travailler trois ingénieurs chinois, alors le prix d'un satellite chinois sera trois fois inférieur et la quantité produite à coûts constants trois fois supérieure. Cet avantage de coût ira en déclinant à mesure que le niveau de vie de la population chinoise augmentera, mais il faudra attendre quarante à soixante ans pour voir éventuellement les coûts salariaux chinois rejoindre les niveaux occidentaux.

La productivité

Les usines chinoises, même si elles produisent à bas coût, sont des usines très modernes, souvent plus que celles du monde occidental. Les Chinois ont en effet sauté une génération d'usines. Ils ont fait la preuve qu'ils savaient les faire fonctionner. Les programmes chinois connaissent bien moins de retard que les programmes étrangers équivalents. L'EPR chinois, dans le domaine du nucléaire par exemple, ne souffre d'aucun retard, contrairement au français. Les gains de productivité croissent de 8 % par an en moyenne. Le cas de l'entreprise d'équipements de télécommunications Huawei témoigne de la nature de ces gains de productivité. Le succès de la firme est bâti sur l'innovation et sur une organisation quasi militaire. Elle domine désormais ses concurrents : le Franco-Américain Alcatel-Lucent, le Germano-Finlandais Nokia-Siemens et le Suédois Ericsson.

La productivité chinoise connaît pourtant moins de succès dans la gestion des organisations : le contrôle de gestion ou les ressources humaines ont encore de grands progrès à accomplir.

L'excédent commercial

L'excédent commercial est au fondement de la politique économique chinoise. L'achat d'équipements et de matières premières nécessite des devises qui, elles-mêmes, nécessitent un solde positif de la balance des échanges. Cette stratégie de surplus commercial s'est d'abord positionnée dans des secteurs manufacturiers de basse technologie. Mais la baisse, dans les douze années à venir, d'un tiers des moins de vingt-cinq ans va se traduire par une hausse des salaires, qui conduira les entreprises à rechercher un maintien de la compétitivité chinoise par une hausse des qualifications et une montée en gamme technologique. L'excédent commercial chinois va de ce fait gagner en qualité, alors qu'il ne cesse de progresser en volume. La Chine est en effet devenue en 2009 le premier exportateur mondial, devant l'Allemagne. Un produit sur dix exportés dans le monde est chinois. Depuis la crise de 2008, le commerce extérieur chinois, jusque-là largement tourné vers les pays occidentaux, se réoriente vers l'Asie du Sud-Est et les pays émergents, sans doute pour se prémunir des conséquences d'un retour des pays occidentaux au protectionnisme. Le dynamisme du commerce mondial est en effet tiré par les nouvelles puissances émergentes et non par les marchés occidentaux atones.

Figure 7

Solde commerce extérieur

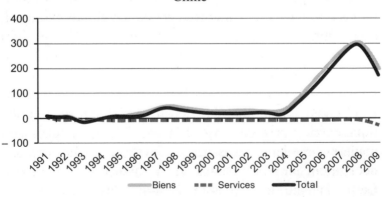

Source : OMC.

Les réserves de change

Formidable puissance commerciale, la Chine est aussi devenue une puissance financière qui peut aujourd'hui compter sur d'énormes réserves de change, les plus élevées au monde, qui ont culminé en 2010 à 2 400 milliards de dollars. Elles peuvent couvrir l'équivalent d'une année et demie d'importations. Chaque année, les consommateurs et les institutions chinoises épargnent 2,5 trillions de dollars. Le taux d'épargne des ménages chinois est très élevé, puisqu'il atteint 45 % du PIB. Dès lors que le taux d'investissement domestique se maintient à 35 % du PIB, le pays dispose d'un surplus pour investir à l'étranger. En 2008, la Chine se classait douzième des pays qui investissent à l'étranger ; aujourd'hui, elle se place au cinquième rang. Durant ces trois années, les investissements ont plus que doublé, passant de 26 à 59 milliards de dollars.

Une croissance à rééquilibrer

Le plan de relance de 2009 a encore davantage déséquilibré la structure économique en faveur de l'investissement. Les dépenses de consommation ont été en 2010 trois fois moins importantes que les dépenses d'investissement. Depuis peu, une volonté de passer à une autre phase du développement économique, dont le but est une croissance plus équilibrée, se fait jour. Cette nouvelle orientation poursuit trois objectifs : faire croître la consommation intérieure, augmenter la part des exportations à haut contenu technologique et mettre en place un début de protection sociale. L'enjeu est aussi d'éviter de creuser les inégalités régionales.

Même si le développement de la croissance reste particulièrement important dans les provinces côtières, le vaste programme d'infrastructures chinoises a pour but essentiel d'irriguer l'ensemble de l'économie, afin d'obtenir également une forte croissance dans les zones géographiques actuellement plus défavorisées. Le programme de trains à grande vitesse répond en particulier à cet objectif, et, contrairement au programme autoroutier déjà développé, qui entraîne bien sûr des facilités de transport mais ne favorise en définitive que la classe moyenne, le développement des trains touchera davantage les personnes moins fortunées.

Les trois capitalismes chinois [1]

Le premier capitalisme est le capitalisme rouge, expression créée par Chen Yi, un proche de Mao, ministre des Affaires étrangères. Il regroupe les entreprises qui dépendent de l'action publique. Le but de ces entreprises est, sous l'autorité d'une entité encore peu connue, la SASAC – une holding d'État dépendant d'un ministre du gouvernement et contrôlant la centaine d'entreprises considérées comme stratégiques –, de développer en tache d'huile, c'est-à-dire par des secteurs connectés les uns aux autres, de gigantesques conglomérats. Leur vocation est de couvrir en permanence l'ensemble des technologies et, en particulier, de développer, en plus des produits banalisés, des productions de haute technologie à vocation mondiale, y compris désormais par des implantations étrangères.

La SASAC, créée en 2003, nomme les équipes dirigeantes de plus de 150 entreprises rouges. Son directeur Li Rongrong a été surnommé le « patron des patrons ». La règle officieuse veut que, si l'une de ces sociétés ne peut devenir à terme l'un des trois leaders de son marché, elle

1. Cf. Marina Yue Zhang et Bruce W. Stening, *China, 2.0*, John Wiley & Sons, 2010.

est sommée de fusionner avec une autre. Ces entreprises se retrouvent aussi au service d'une stratégie essentielle : la relation avec les pays disposant de matières premières ou de ressources énergétiques. Elles sont en particulier utilisées par le gouvernement dans ses relations avec les pays africains. C'est par leur biais que le gouvernement chinois utilise depuis le début de la crise ses considérables réserves financières pour prêter de l'argent à des pays émergents, en Afrique là encore, afin de s'assurer des contrats à long terme d'énergie et aussi de matières premières.

Le deuxième capitalisme, le bleu, est un capitalisme d'entrepreneurs très attentifs à s'insérer dans la stratégie gouvernementale. Développé à partir des années 1980, il a connu un brutal coup d'arrêt lors de la répression de Tiananmen. Il a fallu attendre la série de discours que Deng Xiaoping prononça à l'occasion de sa tournée dans le sud du pays, en 1992, pour le voir relancer. À Shanghai, Shenzhen ou Zhuhai, Deng a prôné une relance des réformes économiques, qui favorise les initiatives individuelles. A dès lors émergé une génération d'hommes d'affaires enfin autorisés à montrer leur réussite. La firme Huawei, dont le partenaire privilégié est l'armée populaire, en est un bon exemple. Contrairement au capitalisme rouge, le capitalisme bleu n'est pas directement sous la coupe des pouvoirs publics. Il regroupe des sociétés florissantes qui ont à cœur de ne pas déroger aux règles édictées par les autorités. La sphère politique domine le capitalisme privé chinois.

Le troisième capitalisme, le noir, concerne les alliances entre entreprises chinoises et sociétés étrangères. Son objectif central est d'acquérir du savoir-faire technologique et managérial. On retrouve ce capitalisme noir dans les entreprises qui résultent des grands contrats industriels, comme dans les secteurs de l'aéronautique ou de l'énergie.

On constate donc une triple action d'entreprises nationales, privées et internationales. Les secteurs jugés stratégiques, comme l'énergie ou les infrastructures, sont prioritairement ciblés, avec transfert de connaissances à la clef. Parallèlement, on laisse pour le moment les étrangers prospérer dans les domaines non stratégiques, comme le luxe.

La priorité environnementale

Les nouvelles orientations stratégiques décidées en 2011 indiquent que la prise en compte de la protection de l'environnement est désormais considérée avec sérieux par les autorités chinoises. Les énergies solaires, la voiture électrique et les éoliennes sont perçues comme des axes majeurs de développement. Dans le domaine solaire, les entreprises chinoises sont en pointe.

Ce secteur des énergies vertes est fortement soutenu par les autorités. Dans l'éolien, la Chine vient de dépasser les États-Unis comme premier producteur et installateur mondial de turbines. La voiture électrique est perçue comme un enjeu de premier plan. Étant donné que le marché automobile national croît à grande vitesse, la voiture électrique est indispensable au futur des villes chinoises.

Le nouveau plan quinquennal (2011-2015) vise à diversifier le modèle énergétique. La place du charbon demeure aujourd'hui prépondérante, avec 70 % du « mix énergétique ». Le gouvernement compte mettre l'accent sur l'hydroélectricité et, surtout, sur les gaz non conventionnels – comme le gaz de schiste dont l'exploitation vient d'être interdite en France – dont les réserves sont considérables.

Une stratégie d'approvisionnement

Face à la croissance des besoins mondiaux et de ses propres besoins, la Chine cherche à garantir ses approvisionnements en matières premières. C'est pourquoi, pouvant compter sur ses vastes réserves de change, elle investit en Afrique ou en Amérique latine. Elle importe par exemple du Brésil du minerai de fer, du pétrole et du soja. Pour réduire sa dépendance envers ses fournisseurs, la Chine est devenue en 2010 le premier investisseur au Brésil. Ses investissements atteignent 17,2 milliards de dollars et sont conduits par des sociétés mixtes ou privées qui se concentrent sur le rachat de terres arables, de mines ou de gisements.

Les industriels chinois sont soutenus par de puissantes banques publiques dans le financement de leurs projets. Pour prendre position dans les pays où elle investit, la Chine suit un modèle de non-ingérence et d'aide économique, comme on le voit en Afrique. Elle diversifie ses acquisitions à l'étranger en ne se spécialisant plus dans l'achat de dette américaine. Dans le secteur pétrolier, les sociétés chinoises, toutes aux mains de l'État, multiplient les investissements. En Irak, par exemple, pourtant sous contrôle américain, la Chine est devenue le premier opérateur étranger dans le secteur pétrolier. Le plus grand champ du pays, qui détient les troisièmes réserves mondiales, est exploité par le consortium anglo-chinois formé par BP et la compagnie chinoise CNPC. Les autres firmes nationales, comme Sinochem et Sinopec, ont aussi pris position en Irak en jouant la carte des alliances internationales ou des acquisitions.

Après la domination régionale asiatique, cette stratégie de sécurisation de ses approvisionnements est le second axe de la politique étrangère chinoise.

L'innovation technologique

Le nouveau plan quinquennal adopté en mars 2011 fait de l'innovation technologique un nouvel axe majeur du développement économique. De manière générale, les entreprises chinoises accusaient au milieu des années 1990 dix à quinze ans de retard technologique, au milieu des années 2000 cinq à dix ans, et aujourd'hui entre deux et quatre ans.

La Chine poursuit une politique systématique de montée en gamme technologique des productions de ses entreprises, qui se manifeste sur de multiples fronts. Les investissements en recherche et développement vont passer de 1,52 % du PIB en 2008 à 2,2 % par an en 2015. En 2009, le premier Airbus chinois est sorti de la chaîne de montage d'EADS implantée en Chine. L'avionneur Avic s'est lancé dans un programme d'avion de ligne monocouloir, qui concurrencera l'Airbus A320 et le Boeing B737. Ce modèle ne sera pas une copie bon marché des avions européens et américains ; il innovera dans le secteur de l'électronique et des matériaux composites. Désormais, une grande partie des trains à grande vitesse produits par Siemens pour le marché chinois l'est en Chine, laquelle poursuit également de nombreux programmes de production de haute technologie, qu'il s'agisse des domaines spatial, aéronautique, nucléaire et, bien entendu, électronique.

L'objectif est clair : développer une position extrêmement forte dans le commerce international, mais en ajoutant à la part déjà prépondérante acquise dans un certain nombre de productions à faible valeur ajoutée une offre très compétitive dans des produits à haute technologie. C'est une base essentielle de l'action tant des entreprises que du gouvernement chinois, qui dépensent des sommes considérables comparées à celles dépensées en Europe et même aux États-Unis pour atteindre un tel objectif.

L'évolution du système d'innovation chinois et sa capacité à démontrer qu'il est aussi efficace que le système américain sont donc les enjeux majeurs de l'après-crise.

Dans les secteurs plus classiques du ciment et du verre, par exemple, il est clair que les entreprises chinoises ont assimilé les technologies occidentales pour les produits banalisés et ont su les mettre en œuvre, dans des usines ultramodernes, avec une rapidité qui a frappé tous leurs concurrents. Et la part du marché mondial, y compris dans des produits de plus en plus sophistiqués, que conquièrent en permanence les entreprises chinoises devient pour le moins impressionnante. Le leader chinois des télécommunications Huawei, par exemple, était il y a quinze ans un petit producteur local. Il est devenu l'un des champions mondiaux des télécommunications, qui réalise près de trois quarts de son chiffre d'affaires hors des frontières chinoises et connaît une croissance annuelle de 30 %.

Parallèle à ce développement technologique, le nombre d'ingénieurs chinois ne cesse de croître. Entre 2000 et 2005, le nombre de diplômés du supérieur en sciences de l'ingénieur et en informatique est passé de 220 000 à 517 000, contre une augmentation de 114 000 à 134 000 aux États-Unis. De surcroît, plus de la moitié des doctorats d'ingénierie menés dans les universités américaines sont le fait de jeunes Chinois ou Indiens. Le système d'innovation chinois excelle à adapter les innovations occidentales au marché intérieur. Comme on l'a montré, l'innovation ne se réduit pas seulement à la recherche et à la découverte technologique. Elle concerne aussi le marketing, le design ou les méthodes de travail. Le moteur de recherche Baidu est parvenu à adapter les pratiques occidentales d'Internet aux singularités du marché chinois [1].

D'une compétitivité fondée sur les coûts, les entreprises chinoises passent à une compétitivité fondée sur l'innovation technologique.

L'efficacité managériale

Au côté de PME spécialisées dans la sous-traitance à bas coût, sont apparus depuis quelques années de grands groupes industriels, qui développent avec talent et créativité des produits, des méthodes commerciales et des stratégies d'accès direct au marché. La trajectoire de ces grands groupes est proche de celles des grandes entreprises japonaises depuis quarante années. D'abord connues pour la production à bas coût de produits textiles de faible qualité, les sociétés japonaises ont su profiter d'effets d'échelle et améliorer leurs outils de production. Cela leur a permis d'accroître leur compétitivité, en dépit de la hausse de leurs coûts. Ont suivi l'amélioration de la qualité des produits et finalement des positions de leadership mondial. Cette transformation a été portée par des innovations de rupture sur le plan managérial, comme le montre le modèle Toyota. L'évolution des grands groupes chinois est identique. Leur montée en gamme s'accompagne d'une amélioration de leur efficacité managériale, encore inférieure à celle des sociétés occidentales.

Le rôle du renminbi

L'un des défis lancés au monde par la Chine concerne le domaine monétaire. C'est à la fois celui où sa puissance est

1. Cf. *The Economist*, 7 mai 2011.

encore modeste, et celui où le défi pourrait devenir tel pour les États-Unis qu'il entraînerait obligatoirement un changement de stratégie du gouvernement américain. Il s'agit du statut du yuan. Pour l'instant, la Chine s'est servie de sa monnaie, d'abord en la contrôlant, en ne la rendant pas convertible, et en gérant son taux de change de façon à maintenir en permanence ses entreprises exportatrices dans une situation favorable. Cette politique était tout à fait nécessaire pour lui permettre de s'imposer sur le marché international en s'appuyant sur ses prix de revient, et pour des produits peu sophistiqués, qui ne pouvaient donc être achetés par les pays occidentaux que sur cette base.

Les demandes de réévaluation monétaire sont constantes, surtout de la part du Trésor américain. Il est d'ailleurs de l'intérêt chinois de procéder à une certaine réévaluation du yuan face au dollar, ne serait-ce que pour payer moins cher sa facture énergétique. Toutefois, le gouvernement veille en permanence à maintenir un taux du yuan qui ne mette pas en péril la compétitivité des entreprises, bien que de proches voisins comme la Corée aient choisi de dévaluer leur monnaie, de façon à retrouver une compétitivité à l'exportation face aux importations chinoises. L'essentiel consiste donc pour les autorités à réapprécier le yuan ni trop tard, ce qui nuirait au coût de la facture énergétique, ni trop tôt, pour ne pas handicaper les exportations tant que leur contenu technologique n'est pas suffisant pour ne pas souffrir d'une monnaie réévaluée. À ce titre, la convertibilité de la monnaie pourrait être décidée dans un délai de cinq ans. Puisque, dans quelques années, le pays aura fait évoluer suffisamment sa production vers le type de produits caractéristiques d'un pays comme le Japon ou l'Allemagne – pays à coûts élevés mais dont les produits sont achetés parce qu'ils sont les seuls à rendre un service de haute qualité, et qui disposent de ce fait de positions très difficiles à déloger, fruits d'efforts très anciens de services au client, d'avance technologique, de compréhension de l'évolution du marché –, la Chine prendra alors le risque d'avoir une monnaie convertible.

Bien que réversible, l'instauration de cette monnaie convertible posera tout de même une difficulté politique au gouvernement, car elle lui enlèvera une dimension de contrôle politique de son destin qu'il n'est sans doute pas aujourd'hui prêt à vouloir accepter. Le jour où la monnaie chinoise deviendra convertible et pourra assurer une crédibilité à long terme de sa position, ce qui impliquera une évolution de l'image politique que véhicule la Chine, le yuan pourra devenir une monnaie de réserve, accueillant notamment une part des placements des pays à rente, tels que ceux du Moyen-Orient, qui disposent et disposeront dans l'avenir de réserves financières extrêmement importantes, pour l'instant placées à Londres et à New York. Ce mouvement s'accompagnera d'une évolution de la technicité des places financières chinoises, déjà à l'œuvre avec une interconnexion triangulaire entre les villes de Singapour, Hong Kong et Shanghai.

L'ambition financière

Depuis peu, on assiste à la montée en puissance des banques chinoises. Juste avant la crise, trois banques chinoises se classaient parmi les quatre premières mondiales en termes de capitalisation, dont l'ICBC, qui vient en 2011 de s'implanter à Paris. La crise n'a fait que conforter leurs positions. Sur le plan financier, les banques chinoises ont été beaucoup moins touchées que leurs rivales occidentales par la crise récente, qui leur a coûté moins cher. Elles avaient une part limitée d'actifs qui se sont révélés valoir bien moins que les valeurs pour lesquelles ils avaient été achetés.

Shanghai est en passe de devenir une place financière de premier ordre. Ce n'est pas un hasard si des banques comme JP Morgan, Goldman Sachs et Morgan Stanley y ont récemment installé leur direction régionale. Hong Kong, disposant d'un statut juridique particulier, présente cependant des règles moins strictes pour ce qui est du contrôle du capital et une technicité supérieure ; le patron mondial de la HSBC, grande banque internationale d'origine anglo-chinoise, vient de quitter Londres pour diriger le groupe depuis Hong Kong. Le niveau d'imposition sur les revenus y est du reste nettement inférieur. Un nouvel indice a été créé, commun aux valeurs cotées à Hong Kong, Shanghai et Taïwan. La domination de Shanghai ne s'établira véritablement que lorsque le renminbi sera convertible. Un scénario de coexistence entre Shanghai et Hong Kong, comme entre New York et Londres, sera alors mis en place.

D'ici quelques années à peine, les activités financières de la planète vont donc basculer nettement du monde anglo-saxon vers la Chine.

L'instabilité politique

L'un des risques qui attend le pouvoir chinois est d'ordre politique, car le maintien de la stabilité sociale ne s'accompagne toujours pas d'une démocratisation par le biais d'élections libres. Quelques timides tentatives sont apparues au niveau le plus local, permettant d'avoir le choix entre plusieurs candidats à différentes fonctions, mais elles restent ponctuelles. Vraisemblablement, le gouvernement chinois continue à penser que les défis qu'il doit relever dans le domaine de la croissance économique ne peuvent en aucune façon se conjuguer avec un risque d'instabilité politique. Les réactions brutales aux troubles du Tibet ou du Xinjiang en sont un exemple. Seul Internet constitue aujourd'hui une amorce de débat, en permettant non pas de véritables contestations, mais l'émergence d'une mise en cause des autorités. Bien que l'on parle beaucoup de systèmes de contrôle, l'Internet en Chine est dans les faits relativement peu contrôlé par les autorités et constitue le seul canal d'un début d'expression démocratique. Il est d'ailleurs largement utilisé par le pouvoir central pour tenter de lutter contre les excès que peuvent commettre certains dirigeants politiques locaux.

C'est également une voie qui permet au gouvernement central de s'en prendre lui-même aux dirigeants dont il estime que le comportement n'est pas conforme à la politique choisie. La mise en cause de personnalités importantes, comme récemment dans la province de Guangdong, ou plus tôt à Shanghai, marque la volonté de réprimer la corruption, et participe d'une façon ou d'une autre d'un début de démocratie. Bien que son influence ne cesse également de croître dans ce domaine dans les pays occidentaux, il n'existe pas d'autres pays où Internet joue un rôle aussi important dans le domaine politique.

On peut donc dire que la stabilité politique, dans un pays qui subit sans doute le rythme de mutation le plus élevé de la planète, et peut-être même de l'histoire, est assurée de façon étonnante. Le gouvernement chinois progresse en effet suivant sa méthode habituelle, c'est-à-dire par petites étapes prudentes, expérimentations locales puis réformes longuement étudiées et mûries. On peut d'ailleurs considérer qu'en matière de planification de son action, tant dans le domaine économique que dans le domaine social, le gouvernement chinois se caractérise par une méthode, certes technocratique, mais particulièrement réfléchie, et finalement efficace par son pragmatisme rationnel.

Les mouvements sociaux

Le premier enjeu auquel la Chine doit faire face, et le plus important, est sans doute le maintien d'une stabilité sociale en dépit d'un partage inéquitable des fruits de la croissance. Les attentes sociales se font en effet plus pressantes et le risque de troubles sociaux augmente à mesure que l'inflation progresse. L'augmentation depuis 2008 des prix des produits de base comme le porc ou l'huile de cuisson fait craindre l'apparition d'un mécontentement social. Les inégalités ont fortement progressé et expliquent que le pouvoir actuel ait mis en place récemment un nouveau plan quinquennal veillant à mieux partager la croissance et promettant au peuple chinois l'« accès au bonheur » et au « bien-être matériel ». Cela passe par une tentative de contrôle des prix, notamment ceux de l'immobilier qui se sont appréciés de 15 % dans certaines villes en 2010, et par une accélération de la consommation intérieure.

Cet objectif de redistribution et de stabilisation sociale s'inscrit dans les orientations prises par le président Hu Jintao, qui tranchent avec celles de son prédécesseur Jiang Zemin par une attention particulière accordée aux aspects sociaux. On voit ainsi apparaître un premier niveau de protection sociale des travailleurs. On commence même à discuter d'un système de sécurité sociale, tant sur le plan médical que par l'éventuelle mise en place de fonds de retraite, mais ce mouvement reste marginal, l'essentiel de la croissance chinoise restant marqué par une très forte inégalité des revenus. Néanmoins, on distingue peu à peu des éléments de stabilité sociale auxquels le gouvernement se montre extrêmement attentif.

L'enfant unique

La politique de l'enfant unique mise en place à partir de 1979 est un choix fondamental de société et d'économie qui n'est pas assez souligné, lorsque l'on présente l'économie chinoise. Décidée par Deng Xiaoping et lancée en même temps que les Quatre Modernisations, la politique de l'enfant unique, qui peut paraître malthusienne, a pour but de mieux allouer les faibles ressources de l'État à l'époque au développement économique. Depuis 2002, la naissance d'un deuxième enfant est légale, à condition de verser une somme qui représente plus de quatre fois le salaire urbain moyen. À côté de cette politique de planning familial, un âge minimal de mariage est imposé à 22 ans pour les hommes et à 20 ans pour les femmes. Selon les estimations des autorités chinoises, la politique de l'enfant unique a permis d'éviter la naissance de 400 millions de personnes au cours des trente dernières années, ce qui aurait considérablement affecté le niveau de vie moyen. Ce contrôle des naissances soutient une croissance de la richesse par tête contrairement à l'Inde où la croissance se retrouve diluée dans l'augmentation de la population.

La limitation des naissances a donné lieu à une génération relativement détachée d'une partie des valeurs traditionnelle chinoises. Cette génération des enfants uniques fait l'objet d'attentes familiales lourdes en termes de réussite scolaire et professionnelle, tout en étant choyée. Les enfants uniques, qui arrivent aujourd'hui à l'âge adulte, représentent une incertitude pour la société chinoise. Plus ouverts à l'influence étrangère et aux nouvelles technologies, ils sont porteurs de profondes transformations.

Ces mesures de contrôle nataliste entraînent un vieillissement de la population. Si la politique de l'enfant unique est maintenue, le vieillissement constituera pour la Chine un risque majeur. Aujourd'hui, on compte dix travailleurs pour un retraité. Mais en 2030, il n'y en aura que quatre pour un ; en 2050, trois pour un. Se pose dès lors la question de savoir si l'interdiction d'avoir plusieurs enfants doit être levée.

Les rapports avec la Russie

Oscillant entre intérêts convergents et concurrence, les relations sino-russes sont ambiguës.

D'un côté, les deux pays considèrent avec la même méfiance l'hégémonie internationale américaine. C'est pourquoi par exemple, en 2005, les présidents chinois et russe ont proposé, lors de leur rencontre à Moscou, une « Déclaration conjointe sur l'ordre international au XXIe siècle ». Le message envoyé aux États-Unis est transparent. La Chine et la Russie partagent également, en plus de cette communauté de vue politique, des intérêts économiques. Les Chinois consomment plus de quatre millions de barils de pétrole par jour. Et leurs besoins énergétiques vont croissants. La Russie, dont l'essentiel des ressources est localisé en Sibérie, voit d'un bon œil cette demande en hausse. Les gisements de Sakhaline, en Extrême-Orient russe, sont dédiés aux exportations vers l'Empire du Milieu. À New York, en 2009, les présidents Medvedev et Hu Jintao ont signé un partenariat commercial jusqu'en 2018 entre les régions de l'est sibérien et celles du nord-est chinois.

D'un autre côté, la Russie et la Chine s'affrontent pour la domination de l'espace centre-asiatique. Les percées chinoises dans la région sont peu appréciées à Moscou. L'oléoduc reliant le Kazakhstan à la Chine ou le poids croissant des intérêts économiques chinois en Asie centrale sont autant de coups portés à l'influence russe traditionnelle dans la région. Dernière divergence : les écarts démographiques se creusent entre la Russie, qui perd des habitants, et la Chine. Si cette dernière renonce à la politique de l'enfant unique, le vide sibérien, si riche en matières premières, pourrait attirer une population émigrée.

Pour finir ce bref aperçu, la montée en puissance de la Chine n'est pas près de s'achever, et les preuves de réussite s'accumulent : la Chine est devenue en 2009 le premier acteur du commerce mondial, en 2010 la deuxième économie de la planète. Avec une richesse par habitant onze fois inférieure à celle de la France, la reconquête chinoise dispose encore de marges de manœuvre appréciables.

Pourtant, la réorientation de la croissance chinoise récemment décidée témoigne de la taille des défis internes qui attendent le gouvernement. Parmi ces défis, la menace de risques sociaux est la plus importante. C'est pourquoi la croissance chinoise accordera plus d'importance au rôle de la dynamique intérieure. Ce rééquilibrage est un impératif, car une croissance exclusivement tirée par les exportations fait courir deux risques. Celui, révélé par la crise mondiale, d'une trop grande exposition de l'économie au commerce extérieur, qui rend la Chine dépendante de la consommation occidentale. Et celui d'une dissension interne croissante, crainte majeure des autorités chinoises. La Chine doit donc lentement passer d'un modèle économique commercial-industriel qui a brillamment réussi à un modèle plus auto-centré.

Chapitre 7

Les États-Unis

La crise de 2008 a considérablement ébranlé la puissance américaine. Ce n'est pas un simple passage à vide. Elle a mis au jour des faiblesses structurelles qu'il sera difficile de corriger : endettement considérable, déficit historique de la balance commerciale, divorce croissant entre une partie des citoyens et les entreprises, vulnérabilité du système financier, forte hausse du chômage... Ces faiblesses sont grandement liées au modèle économique libéral-financier des États-Unis, dont la crise a entamé les ressorts : la croissance, le plein-emploi et le rêve américain. S'ajoute à ces difficultés intérieures le défi chinois.

La Chine exerce vis-à-vis des Américains une concurrence tous azimuts. Sur le plan monétaire, elle profite de la sous-évaluation de sa monnaie pour creuser le déficit commercial américain. Sur le plan stratégique, elle étend son influence en Extrême-Orient, en Afrique, au Brésil, en Asie centrale ou encore en Russie. Sur le plan économique, étant devenue ces dernières années la deuxième économie mondiale et le premier exportateur, elle ne cesse de contester la suprématie américaine. Sur le plan idéologique, elle met en avant sur la scène internationale d'autres valeurs que les valeurs libérales américaines. Bref, la Chine exacerbe les failles des États-Unis. Pour faire face à ce défi chinois, les Américains peuvent envisager quatre possibilités de riposte. Mais voyons d'abord où se situent les grands atouts des États-Unis et quels handicaps la crise a révélés.

Les grands atouts

Le rêve américain

L'immigration américaine trouve son origine dans la croyance en un mythe national de la réussite. L'idéologie américaine est progressiste ; elle défend des valeurs de réussite individuelle, d'effort et d'ascension sociale. Elle trouve son origine à la fois dans la mythologie de la conquête de l'espace continental et dans la rapide croissance qu'a connue le pays à partir de la fin du XIXe siècle. Ce rêve américain exerce un effet doublement positif. Il sert de force d'attraction des talents étrangers. Il contribue aussi à forger un ensemble de valeurs autour desquelles se forme l'unité nationale. La foi en ces valeurs de réussite individuelle et de liberté créatrice reste aujourd'hui profondément ancrée dans la culture américaine.

Cette croyance a ses héros : les Pères fondateurs et Abraham Lincoln hier, Bill Gates et Barack Obama aujourd'hui. Ces grandes figures véhiculent l'idée d'une exception américaine marquée par un optimisme à toute épreuve. Cette croyance a ses hauts lieux : le mont Rushmore, la statue de la Liberté, Hollywood, le Capitole… Elle a des conséquences économiques évidentes. Elle explique le goût d'entreprendre, la passion de l'innovation et l'importance du capital-risque.

La force militaire

La puissance militaire américaine est incontestée. Divers facteurs d'ordre financier, technologique, humain, idéologique et économique en rendent compte.

Les États-Unis représentent près de la moitié des dépenses militaires mondiales. Un dollar sur cinq dépensés par le gouvernement est consacré à la défense. Cette suprématie militaire s'appuie aussi sur un haut niveau technologique qui fait des équipements militaires américains les plus performants au monde. Tout un pan de l'économie américaine concerne ses forces armées. Resté sous la tutelle de l'État, ce secteur militaro-industriel se distingue radicalement des règles du modèle libéral-financier, pourtant dominantes dans le pays. L'armée peut également compter sur une population davantage acquise aux valeurs militaires et à un discours de défense nationale que les populations européennes. Ces raisons permettent de comprendre comment les États-Unis ont pu et peuvent toujours maintenir autant de troupes sur tous les continents. Et cela tout en menant deux guerres depuis les attentats du 11 septembre, en Irak et en Afghanistan.

L'exécution de Ben Laden se veut un exemple éclatant de cette puissance américaine et du rôle qu'elle joue pour l'unité des citoyens.

Le meilleur système d'innovation au monde

L'avantage comparatif dont disposent les États-Unis réside d'abord et avant tout dans son système d'innovation. C'est dans ce pays que se situent les entreprises les plus imaginatives et les plus rapides à mettre leurs produits sur le marché, pour ensuite les diffuser non seulement sur le sol américain mais sur toute la planète. Les exemples qui viennent aussitôt à l'esprit appartiennent au secteur électronique et aux médias : Microsoft, Google, Facebook, Intel ou bien sûr Apple. Mais on pourrait également citer les entreprises de biotechnologie qui sont à la pointe des nouvelles découvertes en matière de thérapie, comme Genentech, expert de la thérapie génique, et bien d'autres.

Une telle situation s'explique par l'avantage institutionnel des États-Unis. Ce pays brille tout d'abord par sa recherche, la plus développée du monde. Ce sont les universités américaines qui produisent le plus de connaissances scientifiques nouvelles et abritent le plus grand nombre de prix Nobel, gages de leur qualité. Les États-Unis savent, de plus, se montrer particulièrement ouverts à la présence de chercheurs étrangers au sein de leurs entreprises, en particulier chinois mais aussi indiens, et enfin européens. Une telle attitude ne fait que renforcer leur domination dans le domaine scientifique. De plus, le gouvernement américain, au nom d'impératifs de défense nationale, soutient vigoureusement la recherche fondamentale.

Surtout, cette production de connaissances fondamentales se traduit concrètement en créations et développements d'entreprises. C'est la véritable force de ce pays que de savoir transformer en avantage économique une découverte scientifique. Nul n'ignore que la Silicon Valley et les environs des grandes universités du Nord-Ouest sont des pépinières d'entreprises innovantes et en forte croissance.

Enfin, les États-Unis ont un système de financement tel – argent placé à risque avec l'espoir d'une forte rentabilité (*venture capital*) – que, contrairement à l'Europe, leurs entreprises innovantes arrivent à trouver les fonds leur permettant de prendre des risques, de se développer et de prospérer. Grâce à une rapide mise en Bourse, elles trouvent sur le marché des capitaux qui leur assurent le cas échéant des développements remarquables, comme en témoignent Apple, Google et plus récemment Facebook, pour ne citer que les exemples les plus emblématiques... On pourrait multiplier les illustrations montrant combien le système d'innovation américain est sans égal aujourd'hui et surpasse les autres systèmes d'innovation de la planète, en particulier dans les médias, l'Internet et la santé. La taille considérable du marché et le goût des citoyens comme des entreprises américaines pour l'innovation et la modernité sont autant d'atouts qu'on ne retrouve pas en Europe.

La crise de 2008

La montée de la concurrence chinoise

La Chine présente aux Américains un quintuple défi, militaire, économique, technologique, d'influence stratégique, et idéologique. Grande gagnante de la crise de 2008 et de ses répercussions mondiales, la Chine accentue les handicaps américains. Son gouvernement utilise les réserves financières considérables constituées ces dernières années, tant pour développer ses entreprises à l'étranger par acquisitions que pour nouer des contacts étroits avec les secteurs économiques d'Asie et d'Amérique latine. La Chine a également l'intelligence d'avoir déjà anticipé la future pénurie mondiale des ressources énergétiques. En sus des échanges avec les gouvernements africains, elle accorde à ces pays touchés par la crise un financement immédiat, mais demande en contrepartie des contrats d'approvisionnements énergétiques de longue durée.

De même, le programme de développement des infrastructures, avec tout ce qu'il implique de créations d'entreprises de haute technologie capables de répondre à la demande de ces biens d'équipement, contraste avec le maintien d'infrastructures américaines éminemment vétustes, tout particulièrement dans le domaine ferroviaire.

La dépendance américaine à la Chine s'accroît à un rythme de plus en plus rapide, comme le montre le graphique ci-dessous, qui donne un état des lieux du déséquilibre commercial entre les deux pays. Tout se passe comme si la Chine se développait largement grâce aux États-Unis, par le biais de ses exportations mondiales et par la constitution de réserves monétaires qui, placées immédiatement en dollars, jouent un rôle essentiel dans le financement du déficit américain.

Cette position chinoise rencontre bien sûr l'objectif du gouvernement américain qui a laissé se développer à la fois ce gigantesque déficit et l'arrivée massive de capitaux chinois, bénéficiant ainsi de taux d'intérêt très bas qui ont financé les ménages américains au prix d'une dépendance accrue vis-à-vis de la Chine.

En un mot, le gouvernement américain a opté pour une vie relativement facile de ses citoyens, en évitant les conséquences sévères d'une politique de rééquilibre qui serait passée par une dévaluation du dollar ou une montée des taux d'intérêt. Quant au gouvernement chinois, tant sur le plan industriel que du point de vue de ses réserves monétaires, il s'est constitué pour les années qui viennent une considérable force de frappe économique et politique.

Figure 8
**Part croissante de la Chine dans le déficit
du commerce extérieur américain (hors pétrole)**

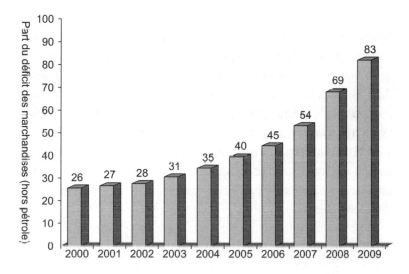

Source : US International Trade Commission and Economic Policy Institute.

Un effondrement aux conséquences durables

La crise de 2008 est directement liée aux excès des institutions financières américaines. En raison des erreurs commises et des risques encourus, la sauvegarde des institutions financières a contraint les responsables du budget à des dépenses massives. Ces dépenses sont largement prises en charge par la Banque centrale américaine (le *Federal Reserve System*) et le pays court à terme le risque d'une inflation préjudiciable qui pourrait entraîner une hausse des taux d'intérêt pour attirer des capitaux étrangers. Dans ce contexte, on ne voit pas comment, dans l'après-crise, les

États-Unis pourraient renouer avec le rythme de croissance qui avait été le leur lors de la dernière décennie.

Les erreurs commises par les institutions financières ont été d'autant plus sérieuses que la proximité entre les milieux d'affaires et le personnel politique est grande. L'une des causes profondes de la crise tient, à ce titre, au mode de financement des partis américains. Il n'existe pas, comme en France, une législation claire interdisant aux entreprises de financer les campagnes politiques. Ce soutien aux candidats américains rend les élus très sensibles aux intérêts du patronat et de Wall Street. Il a été difficile dans ces conditions au pouvoir politique d'interdire ou de limiter l'extension risquée de prêts immobiliers auprès d'emprunteurs de moins en moins solvables, suivie de la perte de confiance dans les créances titrisées qui contenaient une part des crédits *subprimes*.

La hausse du chômage

Alors que les économies européennes ne parviennent pas à résoudre un chômage persistant depuis des décennies, l'économie américaine était, jusqu'il y a peu, relativement épargnée par le phénomène. Avec la crise de 2008, les États-Unis ont rejoint le club des pays européens en la matière. Avant la crise, leur taux de chômage était inférieur à 5 %, contre environ 9 % depuis. Malgré quelques légères reprises du marché de l'emploi, le chômage ne pourra plus être aussi rapidement résorbé comme c'était le cas grâce à la souplesse de leur marché du travail. S'installe sur le sol américain un chômage à l'européenne, durable : parmi les 13,7 millions de personnes sans emploi, près de 6 millions sont des chômeurs de longue durée. Et les perspectives de croissance de l'économie américaine ne militent pas en faveur d'une résolution rapide du problème.

La crise a été un choc d'une rare violence. Elle a abouti à la destruction de 7,2 millions d'emplois. Selon une hypothèse optimiste[1], qui voudrait que le pays renoue avec sa croissance des années 1990 et ses 2,5 millions de postes créés par an, il faudrait attendre 2017 pour que les États-Unis retrouvent un taux de chômage inférieur à 5 %. Ce dernier est donc devenu une caractéristique structurelle de l'économie américaine.

La crise a également porté un coup très dur aux citoyens américains, car elle a atteint à la fois le patrimoine des ménages et le gage de leurs dettes immobilières. La maison est l'actif le plus important des foyers américains. Ils ont été pris en tenaille entre leurs dettes immobilières et le prix à la baisse des logements, entraînant des saisies, et donc l'alimentation du marché en offre de maisons à prix cassés. Les prix se sont alors effondrés, causant de nouveaux déséquilibres.

L'ampleur de la dette

La dette américaine ne cesse de s'aggraver et donne l'impression d'un puits sans fond. En 2010, elle a dépassé la barre des 13 000 milliards de dollars, avoisinant les 100 % du PIB. Le cap des 10 000 milliards a été franchi en 2008, des 11 000 milliards en 2009. Aujourd'hui, la dette est supérieure à 14 000 milliards. Au rythme de ces dernières années, l'endettement américain se creuse donc de 1 000 milliards de dollars chaque année. Il y a peu, une agence de notation a même osé émettre des perspectives négatives quant à la dette américaine. Toutes les collectivités locales sont touchées. Des États comme la Californie ne parviennent plus à voter leurs budgets. Les créanciers américains sont

---

1. Cf. *The Wall Street Journal*, 5 octobre 2009.

principalement la Chine, le Japon et les pays du Golfe. Les ménages américains aussi sont considérablement endettés et si l'on additionne les dettes publiques et privées américaines, elles s'élèvent pour l'année 2010 à plus de 400 % du PIB national. Seules les entreprises non financières ne sont pas touchées par un endettement excessif.

L'ampleur du déficit commercial

Les États-Unis, croyant en l'efficacité absolue du marché, ont laissé les firmes optimiser leurs coûts de production en délocalisant massivement les usines à l'étranger. Ils ont aussi laissé les consommateurs libres de leurs achats et ont, par choix politique, opté pour une taxation extrêmement faible d'un produit tel que l'essence. Pour toutes ces raisons, le déficit commercial américain a crû considérablement (cf. figure 9 ci-dessous) et se révèle unique au monde par son ampleur. Mais, parce que le dollar est la monnaie de réserve internationale, les États-Unis ont toujours considéré que les pays détenteurs de devises n'avaient d'autre choix que de les placer sur le territoire américain, finançant ainsi l'endettement des ménages dont le taux d'épargne est très bas, comparé à celui des Européens.

Cette politique n'a pas empêché le déficit de l'État de prendre des proportions considérables après la crise financière, compte tenu du coût colossal que les erreurs des sociétés financières ont finalement valu au contribuable. Cette situation n'a pas été corrigée par une chute du dollar, telle que pouvait le prédire la théorie économique libérale en cas de déficit, ce qui aurait pu inciter des firmes à réimplanter leurs sites de production sur le territoire américain.

La Chine joue un rôle essentiel dans l'aggravation du déficit commercial américain. Ces dernières années, l'excédent commercial de la Chine face aux États-Unis a crû à un rythme de 20 % par an. Le déficit de la balance commerciale américaine est devenu structurel. Les sociétés américaines ont tant délocalisé leurs unités de production que 1 % seulement des entreprises sont exportatrices. Et parmi ces rares entreprises tournées vers l'export, plus de la moitié n'exportent leur production que dans un unique pays. En somme, un groupe qui produit sur le sol américain et qui exporte devient une improbable exception.

Figure 9
Solde commerce extérieur

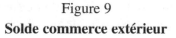

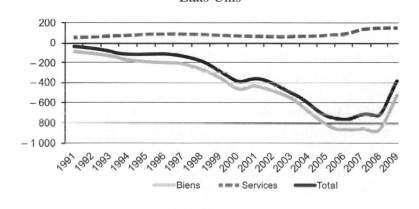

Source : OMC.

Les réponses possibles au défi chinois

La première option est *militaire*. Elle comporte plusieurs exigences que les États-Unis auront du mal à satisfaire. Cette option demande à la puissance américaine d'être financièrement capable de maintenir la différence qui existe aujourd'hui entre les budgets militaires américain et chinois. Il est difficile d'estimer le montant des dépenses chinoises de défense. Mais elles croissent vite, de plus de 12 % environ en 2010. À terme, les dépenses américaines, bien supérieures, ne pourront plus guère progresser.

Elles ont déjà considérablement augmenté depuis le début des années 2000. À l'époque, les États-Unis représentaient un tiers de l'économie mondiale et un tiers des dépenses militaires. Dix ans plus tard, ils ne représentent plus qu'un quart de l'économie mondiale et 46 % des dépenses de défense. Depuis le 11 Septembre, le budget militaire a doublé, pour financer les guerres en Afghanistan et en Irak. Si l'on considère uniquement les dépenses de santé du Pentagone, leur montant est égal au sixième budget militaire mondial, juste derrière celui de la Russie[1]. La marge de manœuvre américaine est d'autant plus limitée que l'état des finances publiques et le montant de la dette n'autorisent plus de poursuivre cette course à l'armement. On remarque d'ailleurs que, depuis peu, les Républicains sont de moins en moins enclins à voter les dépenses de défense, alors qu'ils étaient jusque-là largement favorables aux interventions militaires américaines à l'étranger. Les Américains n'auront pas les moyens de contrer militairement l'influence chinoise en Asie.

Les Chinois, qui disposent de l'arme nucléaire, l'ont coûteusement protégée contre une éventuelle première frappe. Ils investissent désormais massivement dans la marine, qui seule permet les interventions éloignées du territoire national, jusque-là le privilège des États-Unis. La présence chinoise en mer de Chine se renforce face aux flottes américaines. L'option militaire devient donc improbable, la Chine investissant beaucoup pour atteindre une situation d'équilibre entre les deux armées.

1. Cf. *Financial Times*, 7 mars 2011.

L'option protectionniste est une autre possibilité. Mais elle est difficilement envisageable. Elle se déroulerait en deux volets : une hausse des droits de douanes et une dévaluation du dollar face à la monnaie chinoise, accusée d'être sous-évaluée. Cette option se heurte à deux problèmes.

Le premier est que les Chinois se préparent déjà à ce scénario. La montée en puissance de la Chine comme premier partenaire commercial du Brésil, la pénétration des intérêts chinois en Sibérie ou les achats de terres et de champs d'hydrocarbures en Afrique démontrent la volonté chinoise de se préparer à un monde où le poids occidental et américain ne serait plus central.

Le second problème est que les Américains ne peuvent pas se passer des importations chinoises, tandis que la Chine est en train de réduire sa dépendance commerciale aux achats américains, en recherchant d'autres partenaires. Une chute radicale des échanges entre les deux pays nuirait davantage aux États-Unis. Les Américains ne pourront pas, à court terme, substituer aux produits chinois importés en masse des produits américains.

Il est envisageable qu'un scénario d'urgence pousse les États-Unis à une politique de *relance industrielle forte* ; c'est la troisième option. Les placements étrangers en dollars diminueraient et cesseraient de financer automatiquement l'économie américaine, surtout si les Chinois parvenaient à mettre en place une nouvelle monnaie de réserve. À terme, on pourrait voir l'évolution des marchés se traduire par une chute considérable du dollar, jointe à une forte montée des taux d'intérêt.

Cette hypothèse obligerait vraisemblablement les Américains à mener une politique d'urgence face à ce « Pearl Harbor économique », comme ils sont capables de le faire quand les intérêts de la défense nationale sont en jeu. Cette action aurait alors trois priorités : réindustrialiser le pays, développer une production énergétique nationale et accentuer considérablement les économies d'énergie, voire de matières premières. Il s'agit bien là d'un choix d'ordre politique, car sur le plan des entreprises, des moyens financiers et des compétences, aussi bien technologiques que managériales, les États-Unis disposent de tous les moyens pour mener une telle politique volontariste.

Pareille conversion des États-Unis à un modèle commercial-industriel serait une véritable révolution, tant dans le champ politique que dans le champ idéologique. Cela leur demanderait de conduire de grands programmes, de se fixer des objectifs d'exportation draconiens et de revoir totalement leur politique énergétique[1]. Cela impliquerait une nouvelle action forte de l'État au moment où la polémique sur le système de santé a permis à une large part de la société américaine de s'opposer à un tel recours fédéral. Ce scénario ne peut pas être tout à fait écarté, en particulier en raison du conflit d'intérêt croissant entre la Chine et les États-Unis et de la vigueur du nationalisme américain.

Le scénario le plus probable est celui d'une *coopération morose* pour les États-Unis entre les deux pays, avec un net avantage en faveur de la Chine. Chaque partie trouverait son intérêt à cette hypothèse. D'un côté, la Chine maintient le financement des déficits budgétaires et commerciaux américains à un taux d'intérêt raisonnable. De l'autre, les États-Unis maintiennent le dollar à un taux assurant la compétitivité des exportations chinoises sur le marché américain. Cette coopération, qui s'est établie *de facto* entre les deux pays, est sans doute l'hypothèse la plus probable.

1. Cf. Handel Jones, *Chinamerica. The Uneasy Partnership That Will Change the World*, McGraw-Hill, 2010, p. 260-262.

La deuxième contrepartie d'un tel scénario réaliste serait pour les États-Unis d'ordre politique. Il y a fort à parier que les Chinois réclameraient alors un rôle international plus conforme à leurs intérêts et à leur nouvelle position mondiale. Dans ce cas, les États-Unis devraient céder à la Chine le leadership sur l'ensemble de l'Asie et sans doute aussi sur l'Afrique.

Les intérêts géostratégiques chinois et américains n'apparaissent cependant pas totalement contradictoires, et les avantages d'une telle solution, en particulier en termes de stabilité de l'économie mondiale, et des économies des deux pays concernés, pourraient s'avérer déterminants. Se dessinerait alors une codomination de la planète par ces deux grandes puissances, avec une répartition des zones d'influence. Les grands perdants d'un tel partage seraient l'Europe – incapable, car désunie, de s'imposer face à ces deux nouvelles superpuissances – et la Russie, qui devrait alors sans doute se rapprocher de l'Europe occidentale et coopérer davantage avec elle.

Cette codomination ne s'identifierait pas à un strict équilibre des forces, mais plutôt à leur lent déplacement vers l'Orient. Aujourd'hui, certains aux États-Unis nourrissent de grandes illusions quant à la Chine. Ils l'imaginent tenant un discours d'ouverture et de responsabilité à propos de l'Iran ou de la Corée du Nord. Ils rêvent de la voir rehausser la valeur du yuan pour que leur déficit commercial diminue. Cette vision d'une Chine considérée comme partenaire responsable, s'acheminant lentement vers les valeurs occidentales, s'oppose à la vision chinoise. Les relations que bâtit la Chine avec les pays d'Afrique ou d'Amérique du Sud sont totalement différentes.

La réponse américaine la plus probable au défi chinois consiste donc en un accommodement de la montée en puissance de ce rival. D'autant plus que l'ambition chinoise est moins d'exercer un leadership mondial à l'américaine que d'affirmer son autonomie et de gagner une influence régionale. Dans cette perspective, l'avenir américain a de fortes chances de ressembler au destin japonais.

Et ce qui se passe depuis quelques années en Asie, où le Japon maintient son rang dans de nombreux secteurs économiques tout en acceptant avec morosité de céder progressivement la première place à la Chine, risque fort de se dérouler à l'échelle mondiale.

Le constat s'impose : la crise affaiblit les États-Unis et renforce la Chine.

Les premiers ont été d'emblée les plus durement touchés, comme en témoignent de nombreux indices. Ils souffrent lourdement du chômage, qui a atteint le plus haut niveau de ces vingt-cinq dernières années, et doivent effectuer des mutations industrielles massives comme celle de General Motors, sauvé de la faillite par le seul gouvernement américain, mais obligé de fermer ses usines et de réduire encore sa production sur le sol national.

En témoigne de façon exemplaire la réduction considérable de l'activité de construction, passée de 2,2 millions de logements par an à 400 000 en deux ans. À terme, la croissance américaine ne peut donc que ralentir, et le poids du chômage pèsera lourd pour les années à venir.

La mécanique américaine paraît en partie cassée. Depuis la crise, les États-Unis ne peuvent plus feindre de ne pas voir leurs difficultés : dette, déséquilibre commercial, désindustrialisation, effondrement financier… Cette mécanique qui fonctionnait grâce à la croissance, au rêve américain, à la suprématie militaire et à la dette, rencontre des obstacles structurels. La crise et la Chine ont révélé aux États-Unis leurs lourds handicaps.

Néanmoins, les trois points forts de la puissance américaine ne sont pas encore atteints. Wall Street, d'abord, reste encore incontournable et est beaucoup moins exposé que la City a une migration financière vers Hong Kong ou Shanghai. Wall Street est davantage relié à l'économie américaine que la City à l'économie britannique. Le secteur militaro-industriel, ensuite, n'a pas perdu de son importance. Actuellement la force militaire américaine n'a pas de concurrent. Enfin, les États-Unis n'ont pas cessé d'être à la pointe de l'innovation. Or, le système d'innovation est le véritable avantage compétitif du pays. Ces trois points forts favoriseraient le sursaut américain, qui reste possible. Ils contribueraient au maintien des États-Unis au premier rang, même s'ils doivent partager leur leadership avec les Chinois, sans compter que ceux-ci risquent eux-mêmes d'avoir des difficultés, comme on l'a vu.

Les évolutions actuelles ne font en tout cas que mettre en relief le déclin de l'Europe, coincée entre ces deux superpuissances.

Chapitre 8

Le Japon

Pendant plus de cinquante ans, la politique économique japonaise a été marquée par une remarquable continuité. Dès la fin de la guerre, le pays a opté pour une économie de marché et un capitalisme qui paraissent classiques, avec un faible poids des entreprises publiques et un rôle important donné aux sociétés privées, cotées ou familiales ; mais ce capitalisme possède en réalité des spécificités fortes. Si l'on devait résumer le principe essentiel mis en œuvre par la politique économique japonaise, on pourrait retenir les termes de « solidarité nationale ».

Le Japon a adopté le modèle commercial-industriel, avec comme caractéristiques essentielles la recherche prioritaire d'un excédent du commerce extérieur, centré sur une industrie forte, la compétitivité face à la concurrence internationale, avec une véritable dévotion à l'innovation technologique, et un système protectionniste pour les salariés. Les entreprises japonaises accordent une très forte priorité à la production sur le territoire national.

La forte croissance qu'a connue l'archipel depuis la fin de la guerre a marqué un coup d'arrêt au début des années 1990. Le Japon est entré dans une phase de stagnation, de plans de relance qui ont nourri un endettement public considérable et des pressions déflationnistes ininterrompues. Mais il a su préserver un système social stable et a maintenu la solidarité nationale et le modèle commercial-industriel. La base sociale et culturelle du pays, qui forme l'essentiel des points forts du Japon – la discipline, la continuité et la solidarité –, a été sauvegardée.

Bien qu'il ait dû céder à la Chine la deuxième place économique, le pays a encore de quoi tenir son rang dans la compétition mondiale. Il a connu en 2010 une croissance de 3,7 %, bien supérieure à celle des pays occidentaux. Les grands groupes nippons détiennent encore des savoir-faire uniques. Cependant, étant donné l'ampleur des défis qui l'attendent – démographie alarmante, dette publique énorme, moral des jeunes en berne, concurrence chinoise, et un coût de la reconstruction après les récentes catastrophes naturelles qui pourrait s'élever à 3 points de PIB –, le Japon peut-il rester une puissance novatrice et industrielle de premier ordre ? Comment doit-il adapter pour cela son modèle commercial-industriel ?

Atouts et faiblesses

La solidarité nationale

Le premier trait de la société japonaise est sa forte solidarité, qui se manifeste d'abord par un faible niveau d'inégalités salariales, l'un des plus bas des systèmes occidentaux, en fort contraste avec les États-Unis ou la Grande-Bretagne et, d'une façon générale, avec les États appliquant le modèle libéral-financier. Les stock-options et les gros bonus sont inconnus au Japon. Les dirigeants les plus importants restent employés par leurs sociétés à l'issue de leur mandat de dirigeant opérationnel, dans des fonctions de consultant qui leur permettent de compenser un niveau de retraite qui serait sinon peu élevé.

La réaction au tsunami et à la catastrophe nucléaire de Fukushima témoigne de cette solidarité nationale. Les protestations populaires et les manifestations ont été très faibles. Les pillages et actes de violence ont été extrêmement rares, contrairement à ce qui a pu arriver lors des inondations à la Nouvelle-Orléans par exemple. La confiance dans les autorités et le respect de la règle demeurent profondément ancrés dans la culture japonaise. À l'école maternelle, on enseigne aux jeunes à courir en groupe, avec comme impératif de préserver la cohésion. On leur apprend également à ranger des objets dans une boîte, l'objectif étant que tous disposent les objets exactement au même endroit. La vulnérabilité naturelle du territoire japonais – rarement un pays a cumulé autant d'inconvénients géographiques – est à l'origine du fort sentiment de solidarité nippon. Elle explique l'idée ancrée dans la culture et l'approche économique japonaises qui veulent que le pays soit par nature menacé.

Cet esprit collectif et cette discipline, qui peuvent brider l'épanouissement personnel, sont particulièrement valorisés par l'économie japonaise. Le Japon a choisi le modèle commercial-industriel, en adéquation avec ce socle culturel et social. Ses valeurs offrent des conditions favorables à l'apparition d'un secteur industriel puissant, incarné par de grands conglomérats comme Mitsui ou Mitsubishi. Elles facilitent également l'excédent de la balance commerciale, qui doit pourtant importer une quantité importante de matières premières. Elles favorisent enfin un taux d'épargne des ménages très élevé – la dette publique s'élève à environ 200 % du PIB, mais elle est contractée à hauteur de 95 % auprès des citoyens japonais. Socialement, ces valeurs contribuent à un taux d'homicides parmi les plus bas du monde. Les tensions sociales et la criminalité sont extrêmement faibles au Japon. La population carcérale nipponne représente moins d'un vingtième de la population carcérale américaine.

La continuité japonaise

Les Japonais se méfient des ruptures radicales et préfèrent généralement faire le choix de la continuité. C'est le cas notamment des grandes entreprises qui misent sur une action continue, stable et de long terme, avec en particulier un très fort niveau de dépenses de recherche et de développement, et une remarquable efficacité dans la recherche prospective des marchés et des technologies du futur. Cette continuité se retrouve au niveau actionnarial, radicalement éloigné de l'approche libéral-financière. L'actionnaire nippon soutient des politiques de long terme, et les offres publiques d'achat hostiles sont pratiquement inconnues dans le pays. Jusqu'à ces dernières années, les conseils d'administration étaient exclusivement composés de dirigeants de l'entreprise, à l'exclusion de tout représentant des actionnaires ou d'administrateurs indépendants. Même si, dans certaines firmes, des administrateurs indépendants ont été récemment admis, il s'agit là davantage d'un mouvement symbolique que d'un changement réel. De plus, la présence de dirigeants étrangers à la tête de grandes entreprises, comme Sony ou Nissan dirigé par Carlos Ghosn, représente plus un moyen, temporaire et limité, pour provoquer des changements au sein d'une entreprise qui a de la peine à s'adapter par elle-même aux modifications de son environnement et de sa concurrence, qu'une réelle rupture.

Par le biais de participations croisées, le capital des grandes firmes de l'archipel reste pour une large part détenu au sein de grands conglomérats historiques, tels que Mitsubishi, Sumitomo ou Mitsui.

Le rôle protecteur de l'État

Comme en Allemagne, l'État veille à la continuité du modèle et à son bon fonctionnement, en particulier en période de crise, sans agir directement, comme le fait l'État chinois, par l'intermédiaire de sociétés contrôlées. Il facilite la stabilité du capital des entreprises par un droit des sociétés qui, écartant les conseils des organismes internationaux tels que le FMI ou l'OCDE, contrairement à la France par exemple, n'a pas évolué en adoptant une forme influencée par le modèle libéral-financier. En revanche, le gouvernement est toujours très impliqué dans un soutien massif à la politique d'innovation, clef de l'avance technologique et du maintien d'un niveau d'exportation élevé.

Cela passe d'abord par un fort soutien à la recherche pour le développement de connaissances scientifiques. Cette politique a d'ailleurs entraîné une forte croissance des publications scientifiques des chercheurs japonais, reconnus au plan international. Ensuite, l'État soutient en priorité l'effort des entreprises dans des recherches longues et avancées pour développer des technologies nouvelles et porteuses d'avenir.

Enfin, il subventionne massivement, et à fonds perdus, des programmes technologiques ambitieux, en donnant la propriété industrielle des résultats aux firmes qui conduisent ces programmes d'innovation. Les montants sont extrêmement élevés ; on est ici bien loin de l'attitude de la Commission de Bruxelles, et en particulier de sa Direction générale de la concurrence, si tatillonne vis-à-vis de toutes les aides aux entreprises, même dans le domaine technologique. Le niveau d'investissement de l'ensemble des soutiens européens à l'innovation des entreprises, tous pays confondus, reste sans commune mesure avec l'effort fourni, année après année, par le Japon.

L'État n'est donc pas un acteur direct de l'économie japonaise, mais il joue un rôle essentiel de soutien et de coordinateur, tout en laissant les commandes aux grands groupes.

Le Japon se caractérise enfin par un protectionnisme très net. Cette attitude émane d'une culture insulaire, jalouse de son autonomie et quasi fermée à l'apport étranger jusqu'à la fin du XIXe siècle. Aujourd'hui, des normes spécifiques rendent difficile l'accès du marché intérieur nippon aux firmes étrangères. L'acquisition de sociétés japonaises par des compagnies étrangères est rare. La concurrence au sein du pays est par ailleurs relativement faible. Les produits ont des prix élevés dans de nombreux secteurs. Les sociétés étrangères qui parviennent néanmoins à pénétrer le marché japonais obtiennent le plus souvent des parts de marché modestes, mais elles se voient en revanche récompensées par une très bonne rentabilité de leurs ventes. Ce haut niveau de profitabilité provient d'une concurrence qui ne se place pas au niveau du prix mais qui s'exerce plutôt entre les innovations technologiques.

Des voisins méfiants

Le bassin asiatique est devenu le nouveau cœur de l'économie mondiale. L'opportunité est grande pour le Japon d'en profiter pour consolider ses positions industrielles et accroître ses exportations. Le pays peut profiter de la croissance chinoise pour faire fonctionner son industrie automobile et sa production de semi-conducteurs. Il trouve également en Chine et au Vietnam des coûts salariaux nettement inférieurs à ceux pratiqués dans l'archipel.

Mais le renforcement de la puissance japonaise fait face à la mauvaise réputation dont le pays pâtit en Asie. Cette défiance, présente en Chine et en Corée, remonte aux années 1930 et à la Seconde Guerre mondiale. En Chine, le ressentiment reste très fort, car le Japon y est considéré comme une ex-puissance coloniale. La présence japonaise a entraîné d'importants massacres, dont le souvenir reste encore vif dans la mémoire collective chinoise. Elle a débouché sur la guerre civile chinoise entre nationalistes et communistes. Le non-rattachement de Taïwan à la Chine continentale en porte encore la marque. L'ancien occupant est donc directement responsable de la dissension entre Chinois, crainte majeure de l'Empire du Milieu. L'expansionnisme militaire japonais a occasionné deux guerres entre le Japon et la Chine, qui sont autant de coups portés au nationalisme chinois. En 1894-1895, la Chine perd le contrôle de la Corée, de Taïwan et des îles Pescadores. En 1931, le Japon s'empare de la Mandchourie, prélude à la seconde guerre qui se déclenche en 1937. Son soutien inconditionnel aux États-Unis pendant la guerre froide n'apaise pas les tensions.

Aujourd'hui ces tensions persistent. Des conflits territoriaux à propos d'îles en mer de Chine subsistent. Les visites, au début des années 2000, du Premier ministre japonais Koizumi au sanctuaire dédié aux soldats japonais morts pour l'empereur, et le révisionnisme de certains manuels scolaires japonais ont suscité de violentes réactions en Chine, preuves du sentiment antijaponais. Derrière ces tensions, se dissimule la rivalité historique entre les deux pays quant au leadership de la région asiatique. Cette image négative du Japon nuit à l'insertion du pays dans son environnement économique pourtant en pleine croissance.

Une imagination créatrice limitée

Le système d'innovation japonais peut être considéré comme le plus efficace au monde après le système américain. Il fonctionne cependant très différemment de ce dernier. Le rôle, déterminant aux États-Unis, des petites entreprises innovantes issues elles-mêmes des universités qui investissent dans les marchés du futur, est pratiquement négligeable au Japon. En revanche, organisées sous la forme de conglomérats, les grandes firmes japonaises font constamment l'effort de développer de nouveaux métiers industriels, de façon à répondre à la demande du futur. Mener et réussir pareilles évolutions restent l'objectif essentiel des dirigeants des grandes entreprises, et non de rentabiliser au maximum l'investissement de leurs actionnaires. La part du PIB consacrée à la recherche est la plus importante au monde. Le nombre de chercheurs pour 1 000 habitants est également parmi les plus élevés. Malgré cette excellence, le système d'innovation japonais ne débouche pas sur la création de *start up* aussi innovantes qu'aux États-Unis. Peut-être parce que l'autonomie du chercheur et la création individuelle y sont peu favorisées.

Le sentiment de morosité

Depuis les années 1990, une partie de la société japonaise s'est détachée du rêve national véhiculé par le miracle économique de l'après-guerre. C'est particulièrement vrai des jeunes. Influencée par la culture occidentale et vivant une insertion dans le monde professionnel plus difficile que celle de leurs parents, la jeunesse japonaise paraît plus morose et résignée que protestataire et remettant en cause le modèle national. La part des moins de 15 ans atteint seulement 13,3 % de la population totale. Le taux de suicides dans l'archipel est l'un des plus élevés au monde. Quant aux jeunes Japonaises, elles s'affranchissent de plus en plus des normes sociales. Aujourd'hui, près de deux femmes de moins de 30 ans sur trois ne sont pas mariées. Comme les

naissances hors mariage restent rares, ce phénomène participe à la faiblesse de la natalité. La jeune génération s'est
éloignée du mythe japonais de l'emploi à vie et de la classe
moyenne universelle. Un tiers des moins de 35 ans n'a pas
d'emploi fixe, et les cas de jeunes qui se coupent de toute
vie sociale et restent vivre chez leurs parents sont de plus en
plus répandus. Bref, un sentiment de désarroi a gagné la
jeunesse nipponne.

Dernière manifestation du repli japonais, la dégradation
récente de sa balance commerciale sous l'influence de la
crise est perçue comme un signe de déclin par les élites
nationales, même si le commerce s'est redressé avec la
reprise mondiale et surtout asiatique.

Figure 10
Solde commerce extérieur

Japon

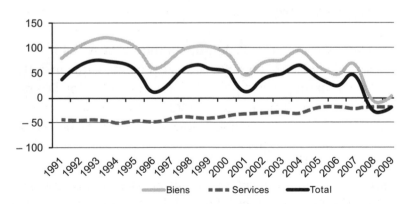

SOURCE : OMC.

Le handicap démographique

Le Japon est confronté à un grave problème démographique, qui va s'accentuer avec le temps, avec un rapport très défavorable entre les jeunes et les vieux dont les conséquences sur la baisse du niveau de vie national commencent déjà à se faire sentir. Depuis plusieurs années, la population de l'archipel est décroissante. En 2009, par exemple, elle a baissé de près de 200 000 personnes. Parallèlement, cette population vieillissante pèse lourdement sur le financement des régimes sociaux et de retraites. L'espérance de vie étant très élevée, le nombre de personnes âgées ne cesse de croître : les plus de 75 ans sont déjà plus de 10 millions. Le Japon est le pays qui recense le plus de centenaires au monde.

En revanche, il manque de main-d'œuvre. Quatre voies se dégagent pour résoudre ce problème. La première est un redressement du nombre des naissances. Mais le taux de natalité japonais est particulièrement bas et, malgré les politiques natalistes et les subventions familiales, il ne décolle pas. Deuxième solution : l'apport migratoire. Il est très limité au Japon. Les personnes nées à l'étranger représentent moins de 2 % de la population de l'archipel, contre près de 10 % en Europe occidentale et aux États-Unis. Un rapport des Nations unies a fait grand bruit en 2001 : il prévoyait que, pour résoudre son déficit démographique, le Japon devrait faire appel à 33 millions d'immigrés avant 2050. La réticence japonaise à l'égard de ce recours à l'immigration s'explique par la forte homogénéité de la population japonaise et sa traditionnelle fermeture insulaire.

Restent au pays deux solutions pour faire face à ce manque de main-d'œuvre : le recul de l'âge de la retraite et l'automatisation. Ces deux solutions sont provisoires et ne règlent pas structurellement le problème démographique qui menace gravement le potentiel économique nippon. Ce problème démographique se traduit dès aujourd'hui par une certaine baisse du dynamisme national et un désintérêt de la jeunesse pour le travail dans les entreprises ainsi que, récemment, une désaffectation des étudiants pour les filières scientifiques et technologiques.

L'économie duale

La relation au travail au Japon relève d'un système dual. D'une part, les grandes firmes exportatrices, qui se battent sur des marchés extérieurs et sont porteuses de la compétitivité des exportations, sont extrêmement productives. On a d'ailleurs souvent vanté leur organisation et le système de gestion industriel japonais, qui emploie des méthodes aujourd'hui largement imitées par de nombreux concurrents dans d'autres pays. Cette partie de l'économie japonaise est marquée par une forte productivité, des hauts salaires et une importante recherche. D'autre part, les secteurs relevant des métiers régionaux, en particulier les banques et tout le secteur commercial, y compris les grandes sociétés de distribution, sont, eux, peu productifs. Mais ils permettent de donner de nombreux emplois aux Japonais, y compris en période de crise, même s'ils n'empêchent pas une certaine précarité. À l'inverse, pour les grandes sociétés exportatrices, un rôle essentiel est donné à l'emploi à vie, la souplesse étant assurée par une série de petites PME sous-traitantes.

L'ensemble du système permet à la fois la compétitivité à l'international et un maximum d'emplois. Cette combinaison entre chômage faible et compétitivité repose sur une profonde solidarité sociale. Ainsi, les grandes entreprises de distribution ne recherchent-elles pas le maximum de productivité, mais au contraire un emploi permettant un service exceptionnel au consommateur, ce qui diffère singulièrement de la situation que l'on connaît par exemple aux États-Unis et en Europe. C'est pour cette raison que l'on s'empresse autour de votre voiture dans les stations d'essence, qu'une armée de vendeurs est à votre disposition dans les grands magasins, que l'on trouve partout et à n'importe quelle heure un taxi, que les lieux publics sont les plus propres au monde, bref que la qualité de service est si élevée. Cette seconde partie de l'économie japonaise peu productive accueille les seniors et les non-diplômés. Elle a permis d'éviter, lors de la décennie 1990, un chômage de masse. Et elle assure à tous, riches et pauvres, un confort de vie rare en Occident.

Le Japon donne donc l'impression d'un pays conscient que ses heures de gloire sont derrière lui et parfaitement au fait de la montée en puissance chinoise. Ses défis sont de taille : question démographique, handicap naturel, endettement public lourd… Cependant, le principal danger pour le Japon ne résulte pas de ces problèmes internes, mais bien plus de la concurrence qui va s'établir entre lui et la Chine, avec la rapide montée technologique des productions de ce pays, couplée à un coût du travail beaucoup plus faible, ainsi que le maintien d'une situation monétaire entre le yuan chinois et le yen japonais qui reste très favorable à la compétitivité des entreprises chinoises. Déjà, dans un domaine d'excellence japonais comme les produits électroniques, avec des marques célèbres – Panasonic, Sony, etc. –, on voit les productions coréennes, avec Samsung, taïwanaises, avec Acer, et désormais chinoises, concurrencer de plus en plus une position auparavant dominante. L'innovation technologique, même dans ces secteurs, paraît être au moins aussi dynamique au sein de Samsung qu'au sein de Sony ou Panasonic, qu'il convient cependant de ne pas sous-estimer.

Le risque du Japon, comme celui de l'Allemagne, est donc bien la montée en puissance de la concurrence chinoise. Dans un certain nombre de domaines, elle sera encore plus dangereuse pour les firmes japonaises, car la Chine va concentrer son effort sur les technologies d'avenir, comme les industries liées au développement durable et à l'économie d'énergie, tandis que la production allemande est beaucoup mieux répartie sur l'ensemble de la gamme industrielle et, par conséquent, sera moins menacée par la stratégie chinoise de se concentrer, comme l'avait fait historiquement le Japon, sur les métiers du futur.

Le Japon est très lucide vis-à-vis de cette menace et redouble d'efforts pour demeurer à l'avant-garde technologique. La qualité de beaucoup de ses produits sera difficile à concurrencer. En définitive, il parie toujours sur la réussite de son modèle commercial-industriel et sur sa tradition de solidarité nationale, qui lui permettront de trouver très vraisemblablement les compromis nécessaires. Cette stratégie de la continuité lui donnera les moyens, malgré le recul relatif de son économie, d'occuper une place de premier ordre dans la compétition mondiale.

Chapitre 9

Le Brésil

On prête au général de Gaulle cette phrase cruelle : « Le Brésil est un pays d'avenir, et il le restera longtemps. » Aujourd'hui pourtant, le Brésil est vraiment devenu un pays d'avenir.

Il est très frappant d'assister à l'amélioration de la situation brésilienne sur tous les plans : progrès sociaux, solidité politique, apparition de grandes multinationales, métamorphoses économiques. Le pays a notamment accompli, ces dernières années, des progrès marquants dans le développement d'équipements compétitifs et de sa productivité industrielle. Les conséquences de la crise financière ont eu là-bas un faible effet de ralentissement. Après une période de stagnation ou même de diminution de la production qui a été un peu brutale, mais n'a duré que trois ou quatre mois, l'économie brésilienne est l'une de celles qui sont reparties le plus rapidement.

Le Brésil semble en passe de limiter le poids de ses vieux démons : une pauvreté que le développement économique ne parvenait pas à juguler, une insécurité inquiétante, une inflation qui entravait la croissance, des infrastructures saturées et insuffisantes et un déficit énergétique qui pénalisait la balance commerciale.

Le Brésil a choisi un modèle autocentré, mais avec une spécificité importante : l'appel aux multinationales pour prendre en charge les industries qui ne relèvent pas de son avantage compétitif. Cet avantage, en revanche, est bien présent dans les entreprises brésiliennes minières, agricoles et pétrolières. Ce choix tranche avec les cas russe et chinois. Le Brésil, ouvert aux multinationales, n'est pas un pays rentier comme la Russie. La Chine, quant à elle, accueille les groupes étrangers mais pour les remplacer rapidement par des champions nationaux.

Les ressources naturelles

Le Brésil est un pays immense, souvent vide et naturellement riche. Il représente près de la moitié de la superficie de l'Amérique du Sud et couvre trois fuseaux horaires. Il dispose d'avantages naturels absolument remarquables : une situation climatique qui, pour une large partie de son territoire, est très satisfaisante ; un territoire immense, qui n'est qu'à moitié peuplé aujourd'hui. Le Brésil a toujours considéré l'espace comme indéfiniment disponible et l'utilise de manière extensive.

Doté de ressources variées présentes en grande quantité, il est servi par une forte hausse de la demande mondiale. Les Brésiliens sont les premiers producteurs au monde de viande, de soja, d'orange, de canne à sucre. Si on laisse de côté l'immense bassin forestier que forme l'Amazonie, le pays présente 200 millions d'hectares en friche. Le Brésil est aussi le premier producteur mondial d'éthanol, substitut à l'essence, et de café, avec des rendements en hausse. Il détient ainsi des ressources exceptionnelles dans les productions végétales de toutes natures, y compris celles qui lui confèrent une position privilégiée dans la production de papier et de pâte à papier. Le Brésil se présente comme un acteur incontournable de l'agriculture mondiale.

Le pays est par ailleurs une grande puissance minière. Les gisements d'uranium brésiliens sont les sixièmes au monde. Le sous-sol est riche en fer – notamment dans l'État du Minas Geiras où les mines à ciel ouvert présentent un avantage concurrentiel important –, manganèse, or ou bauxite. La première compagnie minière brésilienne, Vale do Rio Doce, connaît, depuis 2004 et la hausse des prix des minerais, une croissance exceptionnelle. Elle est aujourd'hui la deuxième multinationale des mines et métaux au monde. Presque tous les minerais sont présents dans la production brésilienne, avec des positions mondiales de premier plan, par exemple pour le minerai de fer.

Seul le pétrole manquait au Brésil. Or, depuis peu, on a découvert, au large de ses côtes, des gisements d'une ampleur considérable. Le Brésil dispose ainsi de la panoplie complète de toutes les productions de matières premières dans des conditions privilégiées.

La démocratie

La démocratie ne s'est véritablement installée au Brésil que récemment, après la fin de la dictature militaire en 1985. Elle a été renforcée sous les présidences successives, dont a résulté une meilleure cohésion sociale. Avec l'élection en 2003 du président Lula, issu du parti le plus à gauche du pays – le Parti des travailleurs –, le Brésil a fait la preuve de sa stabilité politique. Lula, ancien ouvrier tourneur de la région pauvre du Nordeste, incarne un modèle d'ouverture démocratique et d'ascension politique. Dilma Rousseff, qui lui a succédé en janvier 2011, est la première femme à la tête du pays. Les médias brésiliens sont libres et actifs, avec 300 journaux de presse, 300 chaînes de télévision et plus de 2 000 radios.

La cohabitation de ses différentes classes sociales y est assez stable. Il n'a donc pas, de ce point de vue, les mêmes problèmes que ceux qui existent en Inde avec le problème des castes. La démocratie n'y est pas un vain mot, les élections ont lieu de façon tout à fait régulière. Et les électeurs n'ont pour l'instant jamais cédé aux tentations populistes contrairement à leurs voisins argentins et vénézuéliens. Une telle évolution serait du reste la seule véritable menace pour ce pays.

La diversité maîtrisée

La population brésilienne est extrêmement diverse. Le Brésil compte 55,2 % de Blancs d'origine européenne, 39,3 % de métis issus d'un mélange des races indienne, noire et blanche, 4,9 % de Noirs et 0,5 % de personnes d'origine japonaise. Le brassage ethnique est l'un des plus larges au monde. On compte 6 millions de Brésiliens d'origine libanaise. São Paulo abrite la plus forte communauté d'origine japonaise au monde, avec 1,6 million de personnes. Le Sud accueille, pour sa part, des populations germanophones et on estime que 5 à 18 millions d'habitants sont d'origine allemande. Ayant absorbé un peu moins de la moitié de l'ensemble de la traite atlantique, le pays compte la deuxième communauté noire ou mulâtresse au monde, derrière le Nigeria. Enfin, 700 000 Portugais résident aujourd'hui au Brésil.

Compte tenu de cette diversité et de l'ampleur des inégalités sociales, le Brésil connaît peu de tensions ethniques. Les mariages mixtes sont très courants et ses différentes communautés vivent dans une certaine harmonie.

Les Brésiliens croient dur comme fer au développement de leur pays, si agréable à vivre. Ils ont d'ailleurs l'habitude de dire que « Dieu est brésilien ». Très souvent, les enfants des cadres occidentaux venus travailler au Brésil, et en particulier des Français expatriés, tiennent à rester dans ce pays, ce qui montre bien la réalité de son attrait.

Le dynamisme brésilien donne une impression de joie et de confiance en l'avenir. Les indicateurs sont au vert : en trente ans le taux de mortalité infantile a baissé de 75 à 20,6 %. En 1990, 15 % des enfants demeuraient hors du système scolaire, contre une extrême minorité aujourd'hui. L'espérance de vie a fortement crû pour atteindre 73 ans.

Les Brésiliens ont foi en l'avenir. Le pays tire en ce moment profit de sa situation démographique. L'âge médian est proche de 28 ans et la tranche d'âge la plus nombreuse est celle des 20-24 ans. Cela permet à l'économie brésilienne, en plein essor, de disposer d'une main-d'œuvre nombreuse et dynamique. Et, malgré une croissance démographique qui reste forte, le pays a réussi à augmenter de façon significative le niveau de vie de ses habitants.

L'engagement précoce des multinationales

Le Brésil s'est toujours montré attentif au bon accueil des multinationales et des investisseurs étrangers. Sur son territoire, il maintient une économie de marché, certes avec des contraintes administratives, mais qui n'empêchent pas le développement économique. On y trouve de grandes entreprises nationales mais aussi de très nombreuses entreprises étrangères leaders mondiaux, qui apportent à la fois technologies et développement.

La présence des groupes français y est importante et historique. Saint-Gobain est le premier groupe français à s'être implanté au Brésil, dès 1937. L'entreprise Rhodia tire son nom de sa filiale brésilienne. Carrefour a pénétré le marché brésilien dès 1975, et le Brésil est devenu le premier marché de Carrefour hors du continent européen. Le chiffre d'affaires brésilien du distributeur atteint les 9 milliards d'euros aujourd'hui. Le groupe GDF-Suez est lui aussi présent depuis 1958. Ayant acquis en 1998 le Brésilien Gerasul, il réalise dans le pays un chiffre d'affaires de 1,3 milliard d'euros. Autre groupe français présent au Brésil, PSA s'est implanté plus récemment, en 2002. Il est rapidement devenu le cinquième constructeur du pays, où il a vendu en 2009 plus de 110 000 voitures. Saint-Gobain, de son côté, y est leader des produits de l'habitat depuis les années 1970.

Ces quelques exemples français montrent combien le Brésil a su tôt attirer les grandes multinationales mondiales, avec lesquelles il a tissé des relations durables.

Malgré ces nombreux avantages, trois facteurs clefs manquent au pays. Sa classe entrepreneuriale n'est pas assez étoffée, bien qu'il existe de grands groupes brésiliens, ce qui nuit à la résorption des inégalités sociales et à la balance commerciale trop dépendante des importations de biens de consommation et de produits finis. Font défaut également les industries à contenu technologique de pointe, qui permettraient de diversifier le modèle économique brésilien. Ce défaut est lié aux lacunes du système d'innovation et d'enseignement – surtout secondaire. Enfin, le Brésil ne s'est pas doté comme la Chine d'un plan incitatif dans chaque secteur clef d'avenir. Or, c'est seulement dans cette perspective que le Brésil, de puissance minière et agricole, se transformera en une puissance complète.

Des inégalités sociales persistantes

En dépit des progrès récents, les inégalités sociales sont encore considérables. Les politiques sociales initiées par Lula n'ont pas assez concerné toute une couche de la société brésilienne. La situation des 10 millions les plus pauvres, qui se regroupent souvent dans les périphéries urbaines, a insuffisamment évolué ; l'allocation familiale attribuée par le gouvernement ne fait pas de différences entre villes et campagnes. Or, le coût plus élevé de la vie en milieu urbain freine la sortie de la pauvreté des citadins les plus défavorisés.

D'autre part, des inégalités géographiques profondes subsistent entre le Sud riche et le Nord pauvre. Le Brésil a une grosse partie de son économie concentrée dans la ville de São Paulo et dans l'État du même nom, où l'insécurité demeure forte, malgré des améliorations. En 2007, on comptait environ 50 000 homicides par an dans le pays, ce qui le place au troisième rang mondial derrière la Colombie et la Russie. Le Brésil a un coefficient de Gini, qui mesure le degré d'inégalité dans la distribution des revenus, parmi les plus élevés au monde. Et ces inégalités se perpétuent dans un système éducatif secondaire déficient.

Faiblesse des grandes entreprises

Les entreprises brésiliennes sont en pleine croissance mais, parmi elles, les grands groupes sont peu nombreux : Vale pour les mines, Petrobras pour l'énergie, Gerdau pour la sidérurgie, Embraer pour l'aéronautique, AmBev pour l'agroalimentaire, Votorantim pour le ciment et la sidérurgie. Ces entreprises concentrent l'essentiel des activités internationales des sociétés brésiliennes. L'un des axes majeurs de la présidence Rousseff est par conséquent de pousser à la formation de champions industriels nationaux. Le directeur général de Vale, Roger Agnelli, a été il y a peu limogé par son premier actionnaire, l'État. Il lui est reproché d'avoir ignoré les demandes gouvernementales qui l'invitaient à concentrer davantage ses investissements sur le territoire brésilien. Cette nouvelle politique industrielle a été lancée par Lula, qui, en modifiant la loi, a accordé à

Petrobras un rôle central dans l'exploitation des gisements sous-marins. L'État dispose d'ailleurs, depuis 1952, d'une banque d'investissement publique, la BNDES, pour gérer ses participations croissantes au capital des entreprises brésiliennes. Aujourd'hui, 20 % des sociétés brésiliennes cotées comptent l'État parmi leurs cinq premiers actionnaires[1].

Faiblesse de l'innovation technologique

Malgré un certain nombre de pôles de haute capacité, le pays dépend beaucoup de l'étranger du point de vue de son développement technologique. Et, bien que les entreprises étrangères y installent leurs meilleures technologies, il doit continuer à monter en gamme comme il l'a fait dans le passé. En 2008, le Brésil n'a consacré que 1,1 % de son PIB à la recherche et au développement, contre 2,4 % en moyenne pour les pays membres de l'OCDE, 3,4 % pour le Japon ou 2,7 % pour les États-Unis. En 2006, on recensait seulement 1,5 chercheur pour 1 000 emplois. La part des diplômes en sciences paraît encore faible : elle ne représente que 11 % des diplômes brésiliens. C'est deux fois moins que dans les pays de l'OCDE. La structure du capitalisme brésilien, qui donne la part belle aux matières premières et à l'agriculture, pousse encore peu au développement de l'innovation nationale.

Des infrastructures insuffisantes

Le Brésil dispose d'infrastructures convenables mais peu compétitives, qui, sans investissement, risquent de freiner son développement. En dépit de l'immensité du réseau hydrographique, le Brésil utilise peu ses voies navigables,

1. Cf. *Financial Times*, 12 avril 2011.

qui représentent à peine 15 % des échanges de marchandises. Les installations portuaires paraissent saturées et contrôlées par des sociétés peu efficaces. Asphyxiées par l'essor des exportations et des importations, elles peuvent connaître des temps d'attente extrêmement longs. De la même manière, les infrastructures aéroportuaires sont souvent surexploitées, ce qui entraîne des retards qui perturbent le trafic. Le réseau ferré est sous-développé et ne joue qu'un rôle secondaire. Il représente un septième du réseau américain, alors que les territoires sont de tailles comparables. Les interconnexions entre les lignes sont rendues difficiles par des différences d'écartement des voies et une faible automatisation [1].

C'est en réalité par les routes que se construisent l'occupation du territoire et la mise en valeur de nouveaux espaces agricoles. En 1960, le pays comptait 500 000 kilomètres de routes, contre 1,7 million en 2005. Mais le réseau est de qualité inégale et distribué de manière déséquilibrée entre les régions. La plupart des routes ne sont pas encore asphaltées et donc praticables tout au long de l'année. Dense sur le littoral et dans le Sud, le maillage routier se dégrade dans le Nord et l'intérieur du pays. Cela entraîne des coûts de transport importants : le transport du soja a un coût trois fois moins élevé aux États-Unis. Pourtant, le transport routier assure les deux tiers des échanges de marchandises. Le Brésil peine donc à maintenir des infrastructures qui soient à la hauteur de l'immensité de son territoire – il a fallu attendre 1973 pour connaître, *via* les images aériennes, la totalité du territoire – et qui suivent son rythme de croissance. À cela s'ajoute que la nature de sa croissance, en partie fondée sur l'exploitation de ses

1. Cf. *Éclairages industriels*, Études économiques, Crédit Agricole, mars 2011.

ressources naturelles, nécessite des investissements lourds en infrastructures. C'est pourquoi a été lancé un plan national logistique et transport en 2006, qui envisage de combler les lacunes du pays à l'horizon 2022, date du bicentenaire de l'indépendance.

Les développements récents

Le Brésil a connu récemment deux changements majeurs et structurants. Le premier tient à la personne du président Lula, qui a réussi à combiner une gestion monétaire rigoureuse et le développement économique et social du pays. Il a, de ce fait, apporté un début de solution au handicap fondamental jusque-là du Brésil : la pauvreté. Le second changement est lié au remplacement des États-Unis par la Chine comme partenaire économique principal. Ce dialogue avec la Chine est jugé indispensable au futur du pays, mais considéré comme trop asymétrique.

La solidité de la gestion Lula

L'ère des réformes a précédé les présidences Lula. Elle commence dans les années 1990, lorsque l'inflation parvient à être maîtrisée et les dettes des gouvernements locaux et du gouvernement fédéral légalement limitées. La banque centrale gagne en autonomie. L'économie brésilienne s'ouvre alors au commerce international et aux investissements étrangers. De nombreuses entreprises publiques sont privatisées, les sociétés sous contrôle public passant de 250 au début des années 1980 à 130 au début des années 2000. Le secteur industriel, en particulier, s'est vu largement restructuré. L'aéronautique, dominée par le constructeur Embraer détenu à l'époque par l'État, est privatisée.

Embraer vend 20 % de son capital à Dassault et EADS et devient l'une des entreprises brésiliennes les plus exportatrices. Le grand programme de modernisation *Avança Brasil* lancé par le président Cardoso mobilise les énergies nationales. Cette politique de grands programmes est reprise par Lula : de 2003 à 2006, le programme *Brasil de todos* vise la lutte contre les disparités sociales. Il est suivi par le plan d'accélération de la croissance qui investit dans les infrastructures.

Le président Lula a conservé l'orthodoxie budgétaire de son prédécesseur en l'accompagnant d'un programme de justice sociale à grande échelle, tout en contenant l'inflation parfois galopante par le passé. En 2005, soucieux de respecter les grands équilibres, le gouvernement a remboursé par anticipation les dettes du pays au FMI et au Club de Paris, pour des montants respectifs de 15,6 et 2,6 milliards de dollars.

Une évolution sociale favorable

Ces dernières années, le Brésil a connu un taux de croissance élevé, dépassant souvent les 5 %, ce qui a facilité des campagnes de réduction des écarts sociaux. Lula a conduit une politique particulièrement efficace puisqu'il a su à la fois maintenir les réalisations de ses prédécesseurs sur le plan économique, mais également entamé de façon très décidée une réduction des inégalités sociales, laquelle a entraîné une diminution de la criminalité. Les politiques sociales, inaugurées dans les années 1990 et considérablement élargies par le président Lula, ont eu pour résultat que des dizaines de millions de personnes ont pu accéder à la consommation, ce qui a renforcé le dynamisme du marché intérieur.

Ce recul de la pauvreté résulte d'un climat économique favorable et de politiques sociales volontaristes. Le ministère du Développement social a été le troisième ministère le mieux doté sous Lula, après ceux de la Prévoyance et de la Santé. Entre 2003 et 2008, la malnutrition infantile a connu une chute de 62 %. En quinze ans environ, le travail des enfants a été réduit de moitié. Entre 2003 et 2010, le salaire minimum a été augmenté de 74 %, sans que cela nuise à l'emploi puisque des millions de postes ont vu le jour dans le même temps.

Ces mesures, doublées d'un accès facilité au crédit, ont soutenu la croissance de la consommation intérieure. La classe moyenne forme aujourd'hui plus de la moitié de la population. Quant aux 10 % de Brésiliens les plus pauvres, ils ont vu en une dizaine d'années leurs revenus progresser de 8 %, contre une hausse de 1,5 % pour les 10 % les plus favorisés. Ainsi, en moins de cinq ans, durant le premier mandat de Lula, 24 millions de Brésiliens sont sortis de la pauvreté.

L'importance croissante des matières premières

La croissance de l'économie mondiale, tirée par la montée en puissance de géants asiatiques comme la Chine ou l'Inde, fait croître la demande de matières premières. Ces dernières années, le Brésil a rééquilibré ses marchés d'exportation en accroissant la part des nouveaux marchés, acheteurs des matières premières brésiliennes. Il a vu, entre 2000 et 2008, ses exportations vers la Chine être en valeur multipliées par 15. Les exportations vers la Chine, pour les seules années 2007 et 2008, ont crû de 75 %. Si la Chine est devenue le premier partenaire économique du Brésil avec plus de 13 % des exportations, devant les États-Unis et le Mercosur, c'est en raison des matières agricoles et des minerais.

Cette forte progression des revenus miniers et agricoles à l'exportation, qui équivaut pour la première fois à plus de 70 milliards de dollars de matières premières exportées au cours des douze derniers mois, est notamment due à la bonne tenue des cours mondiaux. Les découvertes de gisements pétroliers offshore gigantesques devraient nourrir la croissance de la part des matières premières dans les exportations brésiliennes.

Le secteur agroalimentaire constitue le champion des exportations brésiliennes. Afin d'en améliorer la gestion, le traitement des questions agricoles a été partagé en 1998 entre le ministère de l'Agriculture, en charge de l'agro-business, et celui du Développement agraire, en charge de la moyenne et petite agriculture familiale. Le secteur brésilien de l'*agro-negocio* rassemble environ 150 000 exploitations de plus de 100 hectares qui occupent 76 % des terres cultivées. Ces exploitations s'organisent comme des entreprises avec main-d'œuvre salariée et intégration dans des filières agro-industrielles exportatrices et structurées[1].

Les découvertes pétrolières

Depuis les chocs pétroliers des années 1970, le Brésil cherche à réduire sa dépendance énergétique et sa facture en hydrocarbures. En 1979, il achetait à l'étranger 80 % de sa consommation, ce qui représentait la moitié de ses importations. Mais, à une centaine de kilomètres au large de Rio de Janeiro, un immense bassin pétrolier a été découvert en 1976. Ce bassin de Campos produit désormais plus de 80 % de la production nationale. La Petrobras, qui l'exploite, a établi des records de forage en eaux profondes. Par conséquent, le Brésil, jusque-là importateur, est devenu autosuffisant depuis 2006 et même exportateur. Il n'achète plus que les pétroles

1. Cf. *Éclairages industriels*, Études économiques, Crédit Agricole, mars 2011.

légers qui lui font défaut. Il dispose aussi de réserves de gaz non négligeables, équivalant à celles du Venezuela.

Ces découvertes ont eu pour conséquence l'apparition de toute une filière pétrolière brésilienne. La ville de Macaé, qui se situe à moins de 200 kilomètres de Rio, est le centre de cette nouvelle économie. Capitale du pétrole, elle relie les infrastructures maritimes et terrestres et connaît un puissant essor démographique et économique.

Les découvertes sont prometteuses. En 2008, un important gisement sous-marin, rendu particulièrement difficile d'accès en raison d'une couverture de sel très épaisse et de la profondeur, a été découvert dans le bassin de Santos. Il pourrait être le troisième gisement au monde, avec des réserves de l'ordre de 33 milliards de barils.

L'énergie hydraulique

Avec 20 % de l'eau douce renouvelable au monde, le Brésil dispose d'une source d'énergie verte très importante. La part de l'hydroélectricité est prédominante dans le « mix électrique » brésilien. Plus de 60 % du potentiel hydroélectrique du pays se situe sur le bassin amazonien. Derrière le barrage des Trois Gorges en Chine, celui d'Itaipu, à la frontière entre le Brésil et le Paraguay, est le deuxième plus grand au monde. Aujourd'hui, à peine 30 % du parc hydroélectrique brésilien est exploité. Cette opportunité fait face à deux difficultés. Les zones de production se situent en grande partie au nord-ouest du pays, alors que les zones de consommation se concentrent au sud-est. Cette distance occasionne une perte d'énergie importante lors de la transmission. De plus, la construction des barrages ainsi que des retenues d'eau ont des conséquences néfastes pour l'environnement. Le projet du barrage de Belo Monte sur le Xingu, un affluent du fleuve Amazone, rencontre une résistance des organisations environnementales. Il sera mis en service en 2014 et se placera au troisième rang mondial des complexes hydroélectriques.

La surévaluation du real

Un repas chez McDonald's coûte plus cher au Brésil qu'aux États-Unis. Il y est également 2,75 fois plus cher que de l'autre côté de la frontière, en Argentine. Cela donne une idée de la surévaluation de la monnaie brésilienne, qui, depuis 2009, s'est appréciée de 35 %. La banque centrale brésilienne estime que le real est surévalué de 30 % par rapport au dollar. S'il en va ainsi, c'est que les taux d'intérêt réels sont particulièrement hauts au Brésil. Ils avoisinent les 10 %, alors qu'ils sont nettement plus bas à l'étranger. Un tel écart fonctionne comme un appel pour les capitaux étrangers, attirés par un rendement si élevé. Considéré comme un pays économiquement sûr, avec un taux de croissance de l'ordre de 7,5 % en 2010, le Brésil est une des destinations privilégiées des flux financiers étrangers. La bonne santé de son économie contribue à apprécier la monnaie. Si les taux directeurs sont si élevés, c'est également que les autorités monétaires brésiliennes réagissent au retour de pressions inflationnistes, qui ont tant coûté par le passé à l'économie du pays. Ce problème du taux de change handicape, par ricochet, le commerce extérieur.

La fragilité du commerce extérieur

Par rapport à d'autres pays, comme la Chine, le Brésil présente une caractéristique qui le rapproche de l'Inde : celle d'avoir une économie centrée sur le développement interne. Il ne fait traditionnellement pas de ses exportations, qui sont tout de même importantes et dégagent désormais un solde positif, grâce surtout au développement agricole, le point crucial de sa politique. Malgré sa forte croissance, sa balance commerciale est tout juste bénéficiaire. Les exportations de biens et services culminent pour 2010 à 201,9 milliards de dollars. Les importations de biens et services, de leur côté, s'élèvent la même année à 181,6 milliards de dollars. La balance commerciale présente donc un excédent d'environ 20 milliards de dollars. L'essentiel des exportations est représenté par les matières premières, qui profitent de prix hauts tirés par la forte demande mondiale. Premier producteur de viande, d'orange et de soja, le Brésil en est également le premier exportateur. Or, les importations progressent plus vite que les exportations, le marché intérieur brésilien étant particulièrement demandeur de biens de consommation étrangers. Récemment, la demande intérieure de produits brésiliens a progressé quatre fois moins vite que les importations de produits étrangers. On assiste à une substitution de la consommation de biens manufacturiers étrangers, et surtout chinois, à celle de produits nationaux. Le taux de change de la monnaie brésilienne handicape par ailleurs les exportations et contribue à la dégradation de la balance commerciale.

Le commerce extérieur brésilien est en perte de vitesse, comme le montre le graphique ci-après. Les autorités dénoncent de plus en plus un déséquilibre croissant des termes de l'échange, de nature néocoloniale, avec une puissance comme la Chine, qui vend au Brésil des marchandises industrielles favorisées par la faiblesse du yuan. C'est pourquoi le gouvernement brésilien a décidé d'augmenter ses taxes douanières sur les jouets, pour protéger ses producteurs. Les États-Unis, dans leur lutte pour une appréciation de la monnaie chinoise, pourraient trouver avec le Brésil un allié de poids. Dans une récente note dédiée au Brésil, le Fonds monétaire international vient de pointer la dégradation de la balance des comptes brésiliens.

Figure 11

Solde commerce extérieur

Brésil

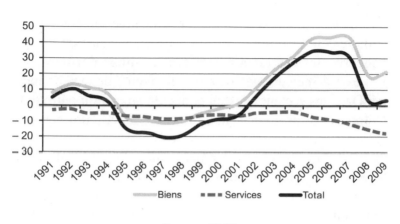

SOURCE : OMC.

Le partenaire chinois

En mai 2009, la Chine et le Brésil ont signé un communiqué commun entérinant le rapprochement stratégique des deux pays. Ils en appellent à une hausse des investissements réciproques dans les domaines de l'énergie, de la recherche technologique, avec un accent particulier mis sur l'exploration spatiale, les échanges industriels et agricoles. En avril 2010, le second sommet des BRIC (Brésil, Russie, Inde et Chine) a eu lieu à Brasilia. Le président chinois a dû écourter son séjour en raison des conséquences des tremblements de terre dans son pays, mais la presse chinoise a porté un intérêt marqué à cette réunion qui marque un peu plus le rapprochement sino-brésilien.

À côté de ce rapprochement politique, la Chine est devenue, il y a peu, le premier partenaire économique du Brésil. Les deux pays entretiennent des relations économiques complémentaires et asymétriques. La Chine est le premier fournisseur du Brésil : elle contribue à 14 % de ses échanges. En 2010, les achats brésiliens réalisés en Chine ont fortement crû, de 60 % en valeur. La Chine, parallèlement, constitue le premier client du Brésil, surtout en ce qui concerne les matières premières. L'année dernière, les ventes brésiliennes en Chine ont augmenté de près de moitié. Dans les secteurs des minerais, du soja et du pétrole, la Chine est le premier acheteur. La balance commerciale entre les deux pays est favorable au Brésil.

La Chine apparaît également comme le principal investisseur. La société d'hydrocarbures chinoise Sinopec s'est alliée à Repsol pour créer au Brésil l'un des plus grands opérateurs privés de l'énergie du sous-continent. Pourtant, les tensions existent. Les Brésiliens se plaignent de la sous-évaluation du yuan. Le taux de change pénalise les exportations, tandis que les entreprises se mettent à souffrir de la concurrence chinoise. Le patronat brésilien estime qu'une entreprise sur deux perd des parts de marché face aux sociétés chinoises sur le marché brésilien, et deux sur trois à l'international. Le succès que rencontrent les produits chinois au Brésil remet en cause les entreprises brésiliennes sur leur propre terrain. En 2010, les importations de produits chinois ont progressé de 61 %. Les secteurs du textile, de la métallurgie et de l'électronique sont particulièrement touchés. Là où le Brésil vend des produits de base à son partenaire chinois, la Chine écoule des biens manufacturiers à valeur ajoutée. Les échanges sino-brésiliens sont donc déséquilibrés, même si les deux pays tirent parti du renforcement de leur coopération économique.

Conclusion, le Brésil répond au modèle des pays auto-centrés : territoire immense, population nombreuse, déficit d'infrastructures… Toutefois, le pays est en train de prendre un virage commercial-industriel avec le développement de grands secteurs exportateurs et de groupes industriels de premier ordre. Il donne l'impression d'un pays heureux et d'avenir. Son économie devrait passer devant les économies française et britannique entre 2014 et 2020, en fonction des estimations. En 2025, São Paulo devrait devenir la cinquième ville la plus riche du monde. La réception de la Coupe du monde de football en 2014 et des Jeux olympiques à Rio en 2016 devrait symboliser la réussite brésilienne.

Le Brésil a de grandes chances de figurer en bonne place au sein de l'alliance de Sanya, qui regroupe les BRIC élargis à l'Afrique du Sud. Sa transition de puissance agricole et minière en une puissance industrielle plus complète n'a pas devant elle d'entraves lourdes. Le pays peut compter sur de nombreux atouts pour son développement économique et rencontre peu de problèmes structurels. Ses handicaps sont en train d'être résorbés : les investissements en infrastructures sont élevés, la pauvreté recule, la scolarisation progresse et les sociétés brésiliennes ne craignent pas de se tourner vers l'étranger. Sur la scène internationale, le pays s'affirme comme le leader de l'Amérique du Sud et fait entendre de plus en plus sa voix parmi les puissances émergentes. Le choix de l'économie de marché et son modèle démocratique l'avantagent également. Il est sûr qu'il faudra compter de plus en plus, dans l'avenir, sur le Brésil.

Chapitre 10

L'Inde

De la même manière que pour la Chine, l'arrivée des Occidentaux au XIXᵉ siècle marque une rupture dans l'histoire indienne. En l'an 1000, l'Inde représente 28,9 % du PIB mondial, contre 13,4 % pour l'Europe. En 1500, elle rassemble 24,5 % de la richesse mondiale ; en 1700, 24,4 %[1]. L'Inde est un centre culturel, démographique et économique. Elle est par exemple à l'origine de nombreux concepts mathématiques comme le zéro, les décimales, les nombres négatifs, les fractions… C'est à partir de la colonisation que la part de l'Inde dans la richesse mondiale chute : en 1820, elle s'élève à 16 %, en 1913 à 7,6 % et en 1950 à 4,2 %. Depuis le XIIIᵉ siècle, les musulmans forment l'élite dirigeante de l'Inde. Jusqu'au XVIIIᵉ siècle, l'Empire moghol qui règne en Inde a une puissance trop établie pour pouvoir être contestée. Les relations avec la société britannique des Indes orientales restent pacifiques et commerciales. Mais, au début du XVIIIᵉ siècle, le pouvoir moghol s'effrite puis se désintègre, en butte à la complexité ethnique et linguistique de la péninsule. Surtout, l'empereur moghol abandonne la politique de tolérance envers les non-musulmans, ce qui déclenche une série de conflits internes permanents.

1. Cf. Angus Maddison, *L'Économie mondiale*, *op. cit.*

La puissance britannique commence alors par contrôler des comptoirs et monopolise le commerce maritime. Elle étend sa mainmise en exploitant les luttes internes. À l'époque, au début de la colonisation britannique, les revenus par tête en Inde et en Grande-Bretagne sont relativement comparables. L'Inde est plus peuplée que l'Europe entière. Le Royaume-Uni accroît ensuite son influence jusqu'à prendre le contrôle de l'équivalent de l'Inde, du Pakistan et du Bangladesh actuels au milieu du XIXe siècle. Ce n'est qu'à partir de 1857 que le gouvernement britannique établit une autorité directe sur l'Inde et que la Compagnie des Indes orientales, jusque-là le bras armé de la puissance britannique, est dissoute. Le contrôle britannique ne s'exerce qu'avec un nombre limité d'agents. On ne compte que 31 000 Anglais en Inde en 1805, dont seulement 2 000 dans l'administration civile. Et leur effectif ne dépassa jamais 0,05 % de la population indienne. S'amorce alors un rapide déclin de la puissance économique indienne.

Depuis l'indépendance de 1947, le décollage indien se fait attendre. La corruption et l'échec des programmes de planification d'inspiration socialiste freinent la croissance. Le sous-continent indien ne commence à se développer rapidement que depuis une vingtaine d'années. Il prend alors un virage important, ouvrant son économie aux biens et aux capitaux étrangers. À l'exception de quelques secteurs qu'elle considère comme stratégiques, l'Inde accueille aujourd'hui sur son territoire les investissements des entreprises étrangères qui peuvent, dans de nombreux domaines, détenir le capital de leurs filiales indiennes à 100 %. Cette ouverture économique, liée à l'abandon d'un système socialisant et très réglementé, conjuguée à la réduction du poids de la bureaucratie et des entreprises nationales, a permis au pays de connaître une croissance relativement soutenue, de l'ordre de 5 à 6 % par an depuis quinze ans, et d'émerger comme puissance économique mondiale.

À côté de la Chine, l'Inde apparaît même aujourd'hui comme l'autre grande puissance économique émergente. Mais quelles sont les modalités de son développement ? Quels sont ses points communs avec la Chine ? Comment se différencient les modes de croissance respectifs de ces deux pays ? Quel sera demain le poids économique indien dans la croissance mondiale ?

Le profil démographique

Pour l'observateur, la première caractéristique du pays est bien évidemment l'importance de sa population. L'Inde compte plus d'un milliard d'habitants et est le deuxième pays le plus peuplé au monde, derrière la Chine. Mais, à la différence de celle-ci, la croissance de sa population n'est pas maîtrisée. Chaque année, elle accueille à peu près 20 millions d'habitants en plus. L'Inde, démocratique, n'a pas pu imposer une politique de limitation des naissances aussi drastique que la politique chinoise autoritaire de l'enfant unique. Elle parie sur des mesures d'alphabétisation des femmes, sur la hausse du niveau de vie et sur la responsabilisation individuelle *via* des centres d'information sur la contraception. Mais cette politique, certes plus démocratique, s'avère moins efficace.

L'Inde plus que la Chine tirera néanmoins avantage de ce que les économistes appellent le dividende démographique. Durant la prochaine décennie, 75 à 110 millions de jeunes arriveront sur le marché du travail. Les profils démographiques indien et chinois sont difficilement comparables, malgré l'immensité des populations respectives. La Chine se situe dans une phase démographique avantageuse aujourd'hui, dont elle tire profit. Elle connaît actuellement un pic de population active. Avec une part d'actifs représentant 64 % de sa population globale, elle devance l'Inde, où les actifs ne forment que 59 % de la population. Le retard démographique de l'Inde sur la Chine ne sera comblé *a priori* qu'en 2050. Le potentiel démographique indien, comme on l'a vu, paraît considérable. Il ne va pas, cependant, sans poser un certain nombre de problèmes. L'Inde doit faire face au défi immense de nourrir, scolariser et trouver un emploi dans les années à venir à des dizaines de millions de nouveaux entrants sur le marché du travail. Ces chiffres donnent la mesure du défi. Le challenge est par conséquent de mettre en place un modèle de croissance plus intensif pour tirer profit de ce potentiel productif.

Le résultat de ce profil démographique jeune et fécond est que le PNB indien par habitant demeure relativement faible, puisque la croissance économique court après la croissance démographique. Aussi le rythme de croissance du niveau de vie indien risque-t-il de ne pas pouvoir rivaliser longtemps avec le rythme chinois, et d'être en tout cas en décalage avec le rythme de croissance de la population.

La pauvreté n'a donc pas reculé en Inde à la même vitesse qu'en Chine, notamment dans la paysannerie. Depuis les années 1980 jusqu'au milieu des années 2000, 350 millions de personnes sont sorties de la pauvreté en Chine. En Inde, on en compte 150 millions de moins. La croissance de l'économie indienne exerce sur l'ensemble de la population un effet bien moins entraînant qu'en Chine. Le développement indien ne concerne en réalité que 200 millions d'individus environ, soit moins d'un cinquième de la population.

La démocratie

À cause de la longue présence britannique, l'Inde offre un état de droit qui permet de mener des affaires dans un climat de sécurité juridique bien supérieur à ce que l'on peut voir en Chine. L'Inde est aujourd'hui la plus grande démocratie au monde. Étant donné l'état des inégalités sociales, la liberté de la presse, l'indépendance des juges et la vitalité de la démocratie locale sont à souligner.

Cette démocratie, qui peut donner une image parfois chaotique, dispose d'une solide colonne vertébrale. Elle a su résister à des chocs de grande ampleur. La partition qui a suivi l'indépendance a donné lieu à des déplacements de population de masse : 6 millions de musulmans ont pris la direction du Pakistan, tandis que 9 millions d'hindous et de sikhs ont rejoint l'Inde. La tentative de coup de force d'Indira Gandhi en 1977, qui arrêtait les opposants et instaurait l'état d'urgence, a été rejetée sans violence par les électeurs. Les tensions communautaires ou religieuses entre hindous et musulmans ou la menace pakistanaise aux frontières n'ont pas entamé la bonne marche démocratique du pays. La démocratie y est donc un acquis solide.

Le choix d'une économie de marché

Après l'échec des tentatives économiques d'inspiration socialiste, l'Inde s'est tournée au début des années 1990 vers l'économie de marché. Le principal artisan de cette libéralisation a été Manmohan Singh, l'actuel Premier ministre, alors ministre des Finances. Le pays a abaissé ses barrières douanières, s'est ouvert aux capitaux étrangers et a privatisé bon nombre d'entreprises publiques. Bien que très autocentrée et protégée, l'économie indienne respecte les règles libérales en vigueur dans le monde occidental. Ce choix d'une économie de marché se conjugue avec le régime de démocratie libérale, contrairement au cas chinois, créant un environnement favorable aux investissements étrangers, d'autant plus que la maîtrise de la langue anglaise est très répandue en Inde. Le cadre légal et juridique est donc rassurant pour les entreprises étrangères.

Formation et modernité

Même si l'Inde accuse un retard de scolarisation aux niveaux primaire et secondaire, elle dispose d'universités de bon niveau et de nombreux étudiants dans les meilleures universités étrangères. L'Inde s'est spécialisée dans le secteur des nouvelles technologies. Cette activité est présente dans les régions où la maîtrise de l'anglais est la plus développée. Le goût pour les sciences et les mathématiques en particulier est une constante de la culture indienne, qui a donné naissance, on l'a vu, à de nombreux concepts mathématiques comme les racines carrées ou la trigonométrie.

Les Indiens sont traditionnellement de grands amateurs de jeux de logique, de mémoire et d'échecs. L'Inde forme chaque année 600 000 nouveaux ingénieurs. Au cœur du système de formation scientifique indien, se trouvent les instituts de technologie fondés dans les années 1950 et 1960 par Nehru. 5 % de toutes les start-up créées depuis vingt ans dans la Silicon Valley l'ont été par des anciens élèves de ces instituts. Les ingénieurs indiens montrent de telles compétences que les centres de recherche des groupes occidentaux s'installent dorénavant en Inde, et pas simplement pour réduire leurs coûts. Malgré ce potentiel, la différence en matière de recherche avec la Chine demeure importante. On compte ainsi 708 chercheurs chinois pour 1 million d'habitants et 15 000 docteurs en sciences par an. En Inde, on ne dénombre que 119 chercheurs pour 1 million d'habitants, et 6 000 docteurs par an. La recherche chinoise est par ailleurs plus internationalisée et plus diversifiée.

Malgré tous ces avantages, l'Inde est confrontée à de nombreux défis.

Une gestion publique peu efficace

L'Inde est un pays suradministré. La part du gouvernement central dans les dépenses administratives ne cesse de diminuer en Chine, alors qu'elle reste stable, à 40 %, en Inde. En dépit du centralisme politique chinois, la centralisation administrative est plus poussée en Inde. Pourtant, bien que le gouvernement central pèse davantage, il est nettement moins efficace. Le décalage entre stratégie centrale et stratégies régionales est plus important en Inde. La croissance n'agit pas comme une dynamique entraînant toutes les régions.

La gestion publique indienne aboutit à des résultats inférieurs par rapport à ceux que connaît la Chine. L'Inde attribue la même part de son PIB à la santé et à l'éducation pour des résultats moindres. La raison en est que la corruption est encore très développée et que, fondamentalement, l'État n'est pas assis sur une légitimité aussi ancrée qu'en Chine. L'État central indien est une création jeune, héritée de la période coloniale. Le consensus national apparaît donc moins développé qu'en Chine.

Les entreprises qui souhaitent s'implanter en Inde doivent souvent faire face à des inerties administratives et des difficultés juridiques. Les retards dans la construction de sites industriels sont nombreux. Le nœud du problème tient la plupart du temps à l'acquisition de la propriété des terrains. En Chine, une telle situation serait impensable.

Le problème énergétique

La production d'énergie, qui dépend là encore de décisions arrêtées au niveau régional, montre elle aussi d'importants retards si on la compare au rythme de croissance de l'économie locale. Tant et si bien que cette question nourrit les hésitations des investisseurs étrangers à s'établir dans le pays, pour peu que leur industrie consomme beaucoup d'énergie. La comparaison avec la Chine est à nouveau éclairante. L'Inde n'a pas de stratégie internationale d'approvisionnement et peine à valoriser les rares ressources dont elle dispose. La Chine produit quatre fois plus de charbon que l'Inde, parce que le contrôle étatique du secteur minier indien est inefficace.

La difficulté que connaît ce pays à faire coïncider son rythme de croissance, une production énergétique adéquate et la mise à disposition d'infrastructures efficaces limite considérablement son essor économique par rapport à ce que pourrait être son potentiel naturel.

Les investissements dans les centrales électriques, le nucléaire, les lignes à haute tension, l'éolien et la biomasse devraient certes s'élever à 150 milliards de dollars. Mais ils ne suffiront pas à rattraper la dépendance et le retard indiens même s'ils se réalisaient, ce qui est douteux.

Un développement déséquilibré

À l'inverse du développement économique chinois, la croissance indienne est très déséquilibrée. Le secteur primaire concerne encore 60 % de la population active et fait vivre 600 millions de personnes. À quelques dizaines de kilomètres des mégalopoles, s'étendent des campagnes sous-développées. Les écarts entre les régions demeurent très marqués. Le déséquilibre se retrouve aussi dans les écarts de formation entre Indiens. Le taux de scolarisation est plus faible en Inde qu'au Brésil, qu'en Chine, qu'en Indonésie ou qu'au Moyen-Orient. Le manque de personnels qualifiés nuit à la croissance. Il a pour conséquence une hausse significative des salaires des postes qualifiés. Le secteur industriel en est particulièrement affecté. Ce phénomène freine de nombreuses entreprises désireuses pourtant de prendre pied sur le sous-continent.

Le déficit industriel

L'Inde, contrairement à la Chine, accuse un déficit industriel dans son profil économique. Le secteur industriel contribue deux fois moins au PIB en Inde qu'en Chine. L'une des conséquences en est que la balance commerciale indienne, présentée dans le graphique ci-après, n'a pas grand-chose à voir avec celle de la Chine ; elle s'exerce essentiellement dans le domaine des services, ce qui, comme on l'a vu, est beaucoup moins favorable que lorsque la balance commerciale est le résultat d'exportations de biens. Alors que l'excédent de la balance commerciale chinoise repose très majoritairement sur sa production industrielle, avec une prédominance d'objets industriels de bas de gamme, mais tendant à gagner en qualité, l'Inde semble aujourd'hui se concentrer sur une industrie de la connaissance. Elle se rapproche en cela davantage du modèle américain que des modèles industriels japonais, allemand ou chinois.

Les services comptaient pour 69 % de la croissance du PIB en 2002-2003. En 2006-2007, leur part était toujours identique, et la part de l'industrie n'a donc pas progressé. L'écart industriel entre les deux grandes puissances du continent asiatique reste très marqué. La Chine produit dix fois plus d'acier et six fois plus de ciment que son voisin. 280 millions de personnes travaillaient dans des usines chinoises, contre à peine 45 millions en Inde en 2009. Or, l'industrie est le secteur qui contribue le plus à la croissance générale d'une économie, ainsi qu'à l'excédent de sa balance commerciale.

Figure 12
Solde commerce extérieur

Inde

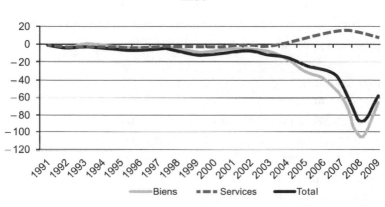

Source : OMC.

Les développements récents

La croissance économique

Depuis le début des années 2000, l'Inde connaît une croissance moyenne annuelle de 6,2 %. Après un léger recul en 2009 à 5,7 % en raison de la crise, l'économie indienne a rebondi en 2010 à 9,7 % de croissance selon le FMI. L'OCDE et le FMI prévoient une année 2011 autour de 8,2 % de croissance et une année 2012 identique. Tous les marchés sont appelés à croître, quasiment sans exception.

Mais ce dynamisme, qui semble rivaliser avec celui de la croissance chinoise, est beaucoup plus récent. Avant 1980, les taux de croissance étaient similaires dans les deux pays.

La croissance chinoise a culminé autour de 10 % dans la période post-réformes amorcée au début des années 1980. À titre de comparaison, la période qui a suivi les réformes du début des années 1990 en Inde n'a connu qu'une croissance de 5,9 %. Au total, dans les années 1980 et 1990, la croissance indienne moyenne s'est établie à 5,6 % par an.

Bref, le décollage économique indien a été plus tardif et plus lent que celui qui a eu lieu en Chine.

Les logiciels

Il existe un domaine dans lequel l'Inde fait preuve d'un dynamisme et d'une présence mondiale plus importants que la Chine : c'est celui des logiciels informatiques. Le pays dispose, au moins autant que son rival et voisin, d'ingénieurs extrêmement bien formés et imaginatifs. Comme beaucoup de Chinois, nombre d'entre eux sont allés suivre leur formation aux États-Unis, avant de revenir chez eux. Mais même ceux qui ont suivi leur cursus en Inde ont bénéficié d'une excellente formation, notamment en mathématiques, et c'est là un atout crucial pour ce pays qui a vu émerger de nombreuses sociétés dans ce domaine du logiciel, telles que Tata Consulting, Infosys, etc., qui ont pris des parts de marché croissantes, grâce à une bonne interconnexion avec les demandes des entreprises occidentales, en particulier américaines.

Ce type d'activités a connu ses plus impressionnantes réussites à Bangalore et dans ses environs, et a joué un rôle de premier plan dans l'essor du pays. Outre la formation appropriée, un tel succès s'explique également par le fait que la production et les modes de travail du secteur des logiciels n'ont pas besoin d'infrastructures physiques : les liaisons se font essentiellement par satellites et Internet. Le manque d'infrastructures n'entrave donc pas le développement de cette activité technologique. L'Inde a également développé une position croissante dans le secteur pharmaceutique, en particulier dans la production mondiale de médicaments génériques, en partie parce qu'il ne s'agit pas, là encore, de substances pondéreuses. Elle est donc plus en pointe que la Chine dans de nombreux secteurs technologiques et dans les services. On compte par exemple plus d'abonnés à la téléphonie mobile en Inde qu'en Chine.

De grands groupes à dominante familiale

De nombreuses entreprises ont su profiter de la croissance de ces dernières années pour devenir de grands groupes et pour s'internationaliser dans tous les secteurs. L'Inde peut compter sur un tissu de firmes compétentes et aux croissances très rapides. Ces firmes forment le moteur de son économie.

L'essentiel de la croissance indienne est porté par des entreprises privées, étrangères et nationales ; dans ce dernier cas, elles sont en très grande majorité possédées par des capitaux familiaux. L'absence de grandes entreprises publiques stratégiques soutenues par le gouvernement, comme c'est le cas en Chine, est un choix fort. Il laisse la place à de très grandes entreprises familiales, comme le groupe Tata ou le groupe Reliance, qui jouent aujourd'hui un rôle considérable dans l'économie indienne. Certains sont certes concentrés dans des secteurs d'activité particuliers, mais dans l'ensemble ces groupes familiaux forment de véritables conglomérats. Ainsi en est-il du groupe Tata, dont les activités s'étendent de la sidérurgie à l'automobile en passant par les entreprises de logiciels, la chimie, l'hôtellerie… Siégeant à Mumbai, il est le premier groupe indien en termes de capitalisation et de chiffre d'affaires. Il est contrôlé par la même famille depuis 1868, lorsque le fondateur créa à Bombay une entreprise de commerce de coton.

Les entreprises indiennes sont bien plus internationalisées que les sociétés chinoises. Maîtrisant la langue anglaise et la culture anglo-saxonne, elles occupent des positions solides dans les économies occidentales. Le groupe ArcelorMittal, leader mondial de la sidérurgie, a connu un développement international rapide. En 1987, Mittal Steel n'était encore qu'un petit producteur d'acier implanté en Indonésie. Spécialisé dans le rachat de sociétés sidérurgiques en faillite qu'il restructure, le groupe Mittal se développe rapidement et rachète Arcelor, le numéro deux mondial de la sidérurgie, en 2006. Il est présent dans plus de 18 pays dans le monde et compte plus de 220 000 employés.

Parmi les économies des BRIC, l'Inde présente les entreprises les plus internationales.

Un marché protégé et autocentré

Pourtant, l'économie indienne est bien moins internationalisée que l'économie chinoise, qui a choisi de se tourner vers les investissements et les exportations. Le sous-continent s'appuie sur un marché intérieur important. La consommation domestique y atteint 50 % du PIB et l'épargne 70 %.

Sur de nombreux marchés, la réglementation est restrictive pour les implantations étrangères. Dans la distribution monomarque, la présence des groupes étrangers doit ainsi passer par une alliance avec un partenaire indien. Dans la distribution multimarque, comme les supermarchés, la présence étrangère directe est tout bonnement interdite. Ce cadre restrictif est conçu pour que des acteurs nationaux émergent. Le leader de la distribution, Future Group, est indien et compte, en plus de ses super et hypermarchés, de nombreuses enseignes en partenariat avec des marques internationales. Une libéralisation de la distribution est annoncée dans les années à venir. Le secteur bancaire, de la même manière, reste une chasse gardée des groupes indiens.

L'absence d'infrastructures

L'Inde dispose du plus vaste réseau ferroviaire d'Asie et de 3,3 millions de kilomètres de routes. Le manque d'infrastructures est néanmoins considérable et handicape son développement. Pour preuve, l'absence d'une véritable autoroute reliant les deux grandes villes du sud du pays, qui est la région qui s'est le plus développée ces dernières années, soit Chennai, l'ancienne Madras, et Bangalore. Les infrastructures indiennes dépendent dans une très large mesure de décisions prises à l'échelon régional, lequel subit les aléas électoraux et les terribles pesanteurs de la bureaucratie. On est là très loin des performances du système centralisé chinois. L'Inde n'investit que 6,5 % de son PIB dans ses infrastructures, contre 11 % pour la Chine. Aujourd'hui, seulement 4 % du réseau autoroutier est à quatre voies, alors que le trafic routier progresse de 15 % par an. L'équipement et le coût des ports indiens n'ont rien à voir avec ceux des ports chinois qui leur sont supérieurs en tout point.

L'absence d'infrastructures a une double conséquence pour les entreprises. Elle freine d'un côté le développement économique et l'implantation des groupes étrangers. L'Inde n'a pas connu l'équivalent des zones économiques spéciales chinoises, qui ont ouvert la Chine à l'économie internationale grâce à des installations portuaires d'excellente qualité. D'un autre, elle offre des opportunités de grands chantiers. Le gouvernement favorise les partenariats dans le domaine entre intérêts publics et privés, et sollicite les groupes étrangers. Les contrats sont très importants : chaque jour en Inde 20 kilomètres d'autoroutes sont construits. Anticipant une multiplication par cinq d'ici 2020 du trafic aérien indien, la plupart des grandes villes construisent de nouveaux terminaux aéroportuaires et font appel, pour ce faire, à des sociétés étrangères.

L'acceptation des groupes multinationaux

En ce qui concerne la présence des entreprises étrangères, l'expérience a montré qu'il était assez difficile de mettre en œuvre des coopérations avec des sociétés indiennes. Les alliances avec des partenaires locaux ont rarement réussi aux industriels français. La *joint venture* créée par PSA pour écouler son modèle 309 sur le marché automobile indien, pourtant prospère, s'est soldée par un échec. Renault aussi s'est vu contraint d'abandonner sa coopération avec l'Indien Mahindra, qui avait pour but de développer les ventes de Logan en Inde. Par conséquent, la meilleure façon pour des entreprises étrangères d'aborder le marché indien est d'y investir à 100 % avec leur capital, ce que la législation autorise, tout en faisant largement appel aux compétences managériales du pays, tant il est vrai que, pour gérer une entreprise en Inde, s'avère indispensable la connaissance de la culture, des habitudes de travail, du mode d'organisation des entreprises, du dialogue avec les syndicats ou avec une administration particulièrement bureaucratisée et faisant respecter des réglementations extrêmement détaillées. Sur le terrain, on voit bien sûr des équipes mixtes, comprenant des Occidentaux. Mais les entreprises qui ont le mieux réussi sont celles qui, comme Saint-Gobain, ont surtout fait appel à un management indien.

En réalité, l'acceptation des sociétés internationales est radicalement inverse à celle que l'on constate en Chine. Les

Chinois maintiennent un contrôle scrupuleux sur les secteurs jugés stratégiques, comme les infrastructures, la défense, l'énergie… L'apport étranger est là strictement encadré. Dans les secteurs non stratégiques comme le luxe ou la distribution, la place des firmes multinationales est bien plus importante. En Inde, au contraire, le secteur le plus réglementé est la distribution. Les entreprises étrangères sont les bienvenues dans les domaines de l'énergie ou de l'équipement.

L'Inde et la Chine

Même si l'on rapproche souvent ces deux géants, on voit bien que le modèle indien de développement n'a rien à voir avec le modèle chinois. La scolarisation y est moins poussée aux niveaux primaire et secondaire, ce qui n'empêche pas l'Inde de produire des élites compétentes *via* ses universités. Les infrastructures y sont nettement moins développées. La planification, moins volontariste, reste indicative. L'État central dispose de moins de pouvoir et les États régionaux de plus d'autonomie. Le développement indien n'est donc pas aussi homogène, équilibré et centralisé qu'en Chine. Du point de vue commercial, l'Inde n'a pas emprunté la voie exportatrice chinoise et n'équilibre qu'avec difficulté ses comptes extérieurs.

L'impression de retard vis-à-vis de la Chine domine. La croissance de la population indienne et la montée en gamme technologique chinoise ne jouent pas en faveur d'un rattrapage. Quant à la richesse nationale, si l'Inde veut tenir tête à la Chine en 2050, elle devra maintenir une croissance moyenne de 8,9 % dans la décennie à venir et une croissance de l'ordre de 11,6 % durant la décennie suivante. Il est donc peu probable qu'elle parvienne à rattraper la Chine à moyen terme.

C'est au regard de ces ordres de grandeur économique que l'on comprend que l'Inde perçoive souvent comme menaçant le comportement chinois. La Chine fait montre d'une politique internationale bien plus offensive que l'Inde. Elle pénètre l'Asie centrale, s'implante en Afrique, devient le premier partenaire économique du Brésil, lorsque l'Inde en reste à sa relation conflictuelle avec le Pakistan. La Chine assure ainsi mieux sa sécurité énergétique, qui fait cruellement défaut à l'Inde. Elle siège de manière permanente au Conseil de sécurité des Nations unies, lorsque l'Inde demande en vain pour le moment qu'on lui accorde une reconnaissance internationale à la hauteur de son rang.

L'Inde et la France

Les relations entre l'Inde et la France sont cordiales, mais relativement distantes et peu intenses. Les opportunités pour les groupes français sont pourtant grandes sur le sous-continent.

Le mode de développement indien conduit les acteurs à manifester une volonté de rentabilité permanente qui tranche avec le climat de concurrence exacerbée qui caractérise le marché intérieur chinois. Aussi, pour les entreprises occidentales et françaises qui ont choisi d'y investir, le niveau de concurrence est-il plus acceptable que dans le monde chinois. Un groupe comme Saint-Gobain a ainsi obtenu de meilleurs résultats de rentabilité de ses investissements en Inde qu'en Chine, surtout quand ces derniers étaient tournés vers le marché intérieur chinois et non pas vers l'exportation.

La croissance économique est telle qu'elle permet, quand on dispose de bonnes technologies et que les investissements ont été judicieux, de prendre rapidement des parts de marché substantielles, même face à la concurrence locale ou à celle d'autres entreprises étrangères. Ainsi Saint-Gobain a-t-il acquis, en une petite douzaine d'années seulement, environ 30 % des parts du marché indien du verre plat et autant du verre utilisé dans l'industrie automobile. Un résultat impossible à atteindre au sein du marché chinois. Les opportunités sont donc grandes pour les groupes français.

On le voit, l'Inde est un grand pays qui avance lentement. La croissance est là, mais elle est plus disparate et moins maîtrisée qu'en Chine. Les coupures d'électricité sont monnaie courante, le personnel administratif pas toujours compétent. À quelques dizaines de kilomètres des centres urbains les plus actifs, peuvent s'étendre des campagnes d'un autre temps. Le manque d'infrastructures et la question énergétique forment des handicaps structurels lourds pour l'avenir du pays.

Pour les groupes étrangers, l'Inde est paradoxale. Elle offre des conditions politiques et juridiques stables. Elle parle l'anglais. Elle dispose d'élites compétentes, dans des secteurs de pointe. Pourtant, ses particularités culturelles et régionales sont difficiles à saisir. La société indienne est toujours hiérarchiquement structurée, alors que les plus pauvres sont les premiers acteurs du jeu démocratique, les moins abstentionnistes. Dans un pays très marqué par les violences religieuses et les tensions communautaires, le Premier ministre actuel, Manmohan Singh, est de confession sikh. Or seulement 2 % des Indiens sont sikhs.

L'Inde reste et restera un pays autocentré. Elle participe peu aux échanges mondiaux : le commerce international ne représentait en 2008 que 37 % du PIB indien contre 75 % en Chine. Elle n'a pas vocation à jouer pour le moment un rôle déterminant sur la scène internationale. L'Inde sera un pays important dans l'avenir, mais qui n'est pas susceptible de jouir du même poids et de la même influence que la Chine. Il ne gardera longtemps qu'une dimension régionale.

Chapitre 11

La Russie

La Russie fait partie de la famille des pays rentiers. Premier producteur mondial de pétrole, détenant les plus importantes réserves de gaz, elle peut compter sur des ressources naturelles immenses. Elle les utilise moins pour son développement économique que pour son rayonnement politique. Dans ce contexte, la Russie peut-elle redevenir avec la nouvelle donne mondiale une grande puissance économique, en sus d'une puissance rentière et énergétique ? La sortie du modèle rentier passerait par deux voies. La première est proche de celle que tente de suivre le Brésil : utiliser sa richesse naturelle pour investir dans les secteurs technologiques et industriels afin de créer des champions nationaux. Cela revient à transformer l'avantage naturel en avantage industriel. Or, à l'heure actuelle, il n'existe aucune entreprise russe, à l'exception des sociétés pétrolières, gazières et minières, parmi les grands groupes mondiaux. Développer le tissu industriel russe passerait alors par la mise en place d'un plan d'action tel que le fait la Chine, le retour d'un néo-gosplan. La seconde voie se rapproche de celle qu'emprunte l'Inde. Elle consiste à parier sur la recherche scientifique et le goût prononcé de sa population pour les nouvelles technologies. La Russie dispose d'avantages inexploités dans ce domaine, hérités de la recherche scientifique soviétique. Mais la Russie ne suit, pour le moment, ni le chemin indien

173

ni le chemin brésilien : elle ne joue pas de son avantage technologique et de son avantage énergétique pour s'affermir économiquement. La raison en est que la sphère politique prend le pas sur la sphère économique.

La tentative Gorbatchev

De 1985 à 1991, Gorbatchev lance une série de réformes économiques et sociales destinées à remédier au blocage politique, à la dégradation sociale et au déclin économique que connaît l'URSS. Les réformes initiées sont profondes : restitution de la terre, libéralisation de la presse, assouplissement politique, autorisation de créer des entreprises individuelles, responsabilisation du personnel dans les entreprises publiques. Cette *perestroïka*, adossée à la *glasnost* – à la libéralisation de la presse et de la parole publique –, ne signifiait pas pour autant la fin du communisme. Elle devait au contraire, sous le contrôle du Parti communiste, redonner un nouveau souffle à l'expérience communiste, en la mettant en adéquation avec les aspirations sociales.

L'expérience échoue pour de multiples raisons. Le parti au pouvoir fait figure d'obstacle politique, tandis que la libéralisation sociale et politique progressive n'est pas suivie par l'instauration graduelle d'un État de droit. Le manque d'une législation accompagnant cette transformation économique plonge le pays dans la corruption et l'immobilisme. Les pénuries s'aggravent, l'inflation s'emballe, tandis que les États du bloc soviétique expriment de plus en plus leurs revendications d'autonomie.

L'ère Eltsine

Les années Eltsine s'apparentent à une tentative de libéralisation et de démocratisation à grande vitesse qui échoue ; le pouvoir économique tombe alors dans les mains d'oligarques.

À partir de la fin de l'année 1991, la Russie prend le chemin de la transition vers l'économie de marché. Deux voies sont alors possibles. La première défend la rupture avec le modèle socialiste. Elle passe par la libéralisation rapide du commerce et par des privatisations de grande ampleur. La seconde milite pour une transition progressive, qui laisserait le temps aux institutions de s'adapter à la libéralisation économique. C'est la première voie qui est choisie par le nouveau pouvoir en place, avec le soutien de la communauté internationale.

En l'espace de seulement deux années, de 1992 à 1994, la moitié des entreprises sous contrôle public se retrouvent privatisées, soit plus de 100 000 sociétés d'État. Cette vague de privatisations massives se déroule dans des conditions de violence, de corruption et d'insécurité juridique ; elle favorise les affairistes en tout genre. En quelques années, la richesse nationale est presque divisée par deux. Le chômage explose, le taux de mortalité augmente fortement.

C'est la reprise en main par l'armée et l'ex-KGB, menée par Vladimir Poutine, d'abord Premier ministre de Boris Eltsine, qui met fin à cette dégradation du pouvoir politique et à cet accaparement de la richesse nationale par une minorité d'oligarques.

La reconquête Poutine

Vladimir Poutine est élu président en 2000. Il entreprend alors une reprise du contrôle par l'État des entreprises gérant les activités stratégiques, comme les ressources naturelles. Aujourd'hui, même si elles se trouvent entre certaines mains privées, ces entreprises demeurent extrêmement proches du gouvernement, ou sont même directement repassées sous le contrôle de l'État, alors que sont marginalisées les entreprises occidentales.

Le message est clair : les entreprises jugées stratégiques doivent servir des visées politiques d'intérêt national. Le Kremlin les utilise comme ses bras armés. Les grands groupes énergétiques ou métallurgiques sont du reste dirigés par des proches du régime. L'ère Poutine donne naissance à une nouvelle génération d'oligarques qui rentrent dans le rang politique.

La reconquête s'effectue également face aux pays occidentaux sur la scène internationale. Ces dernières années, la Russie a clairement démontré qu'elle était un convoyeur de gaz indispensable à l'Europe occidentale pour obtenir de celle-ci une plus grande souplesse dans le domaine politique, notamment à l'égard des pays qu'elle ne veut pas voir tomber dans l'orbite de l'Europe occidentale et de l'OTAN, comme l'Ukraine et la Géorgie. D'une façon générale, on peut dire que la Russie a obtenu des puissances occidentales, et en particulier de l'Europe, notamment sous la pression de l'Allemagne et de la France, une attitude finalement compréhensive vis-à-vis de ses intérêts stratégiques. En contrepartie, elle assure qu'elle veillera à jouer son rôle dans le développement des ressources énergétiques et à la mise à disposition de l'Europe de ressources gazières importantes, rôle qui serait à court terme pour l'Europe occidentale très difficile à substituer.

La dimension du territoire

La Russie s'étend sur un territoire immense, dont la position est stratégique. Avec 11 % des terres émergées de la planète et neuf fuseaux horaires, c'est le plus vaste pays du monde : 9 000 kilomètres d'ouest en est et 3 000 kilomètres du nord au sud.

La région à l'ouest des monts Oural fait partie de la grande plaine européenne. L'ensemble sibérien, à l'est de l'Oural, est une région asiatique. La Russie est, à ce titre, un carrefour. Elle utilise cette situation favorable pour occuper une position dans le jeu international d'intermédiaire entre Occident, Asie et Moyen-Orient, comme pour diversifier ses exportations d'hydrocarbures. Le pays possède en outre plusieurs façades maritimes. La plus septentrionale, sur l'océan Arctique, est prise par la banquise plus de six mois par an ; mais la Russie a accès également à la mer Noire, la mer Caspienne, le Pacifique et la mer Baltique.

Les richesses naturelles

Les richesses naturelles russes paraissent inépuisables. Elles proviennent pour l'essentiel du sous-sol, le potentiel agricole étant aujourd'hui limité. La Russie est le premier pays producteur de pétrole et de gaz. Elle détient un tiers des réserves en gaz naturel de la planète. Cependant, ces ressources sont difficiles d'accès. Situées dans le grand Nord, leur exploitation nécessite un important savoir-faire technique et une adaptation aux rudes conditions naturelles, ce qui rend l'extraction relativement coûteuse. À part les hydrocarbures, les ressources minières sont abondantes. Cobalt, cuivre, or, argent, palladium… sont présents en grande quantité. À côté de ces réserves en hydrocarbures et en minerais, la Russie peut compter sur un quart des réserves de bois de la planète. Elle en est le premier exportateur mondial, et la Chine est son client privilégié pour les exportations de bois sibérien.

L'exploitation de ces ressources occupe une place centrale dans le fonctionnement de l'économie russe. L'extraction des hydrocarbures représente l'essentiel des rentrées de devises. Ce qui place la Russie dans une situation de dépendance aux cours des matières premières. Cette dépendance explique la fluctuation de la croissance russe qui peut passer d'une année sur l'autre de 10 à 5 %, en fonction d'une baisse des cours de pétrole et de gaz – c'est le propre des pays rentiers. L'économie russe est donc extrêmement exposée à une chute des cours, comme lors de la crise récente. Lorsque le prix du baril est inférieur à 70 dollars, le budget de l'État ne s'équilibre plus.

Ces richesses naturelles expliquent la bonne tenue du commerce extérieur russe que présente le graphique ci-dessous.

Figure 13

Solde commerce extérieur

Russie

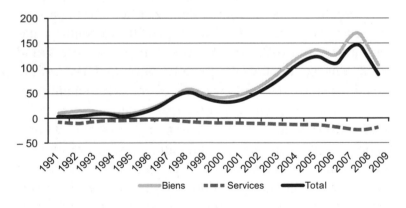

SOURCE : OMC.

178

La stabilité récente du régime

La reprise en main par Vladimir Poutine est perçue en Russie comme un retour à l'équilibre après la période troublée des privatisations des années 1990 et de la crise économique de 1998, qui a entraîné une dévaluation du rouble et un défaut de la dette publique. La hausse des prix des matières premières et la stabilisation politique et institutionnelle opérée par Poutine ont relancé l'économie russe qui, entre 1999 et 2008, a connu une croissance moyenne de 6,7 %. Cette croissance, en dents de scie, reste extrêmement dépendante des cours du gaz et du pétrole. Mais, dans un contexte mondial de demande énergétique croissante, la réhabilitation de l'économie russe tirée par les matières premières devrait à moyen terme se maintenir.

Politiquement, le tandem que forment Poutine et Medvedev ne change pas fondamentalement la stratégie russe. Il aboutit à une répartition des rôles, certainement organisée. Il répond au modèle classique, dans un État ni vraiment dirigiste ni véritablement libéral, de l'équilibre des pouvoirs entre deux tendances, comme en Chine, mais les règles de partage sont néanmoins plus nettes et connues d'avance que dans le cas chinois. Medvedev paraît incarner une tendance libérale, moderne et tournée vers l'Occident. Poutine est, quant à lui, le chef de file d'un groupe plus autoritaire attaché aux valeurs nationales et à la grandeur de la Russie.

Malgré ces atouts, nombreux sont les handicaps russes. Ces freins sont de nature à la fois physique et politique. La rudesse du climat, l'étendue du territoire et la diversité des populations qui le composent, le défi que représente l'entretien d'immenses infrastructures nuisent à l'essor économique. Le défavorisent aussi l'insécurité juridique et l'absence de volonté politique de réinvestir la rente pour diversifier le profil économique.

Un territoire sous pression

Le territoire russe est en proie à des pressions géopolitiques sur ses marges.

À l'est, les Chinois procèdent à une pénétration rampante des grands espaces sibériens. Le fleuve Amour sert de frontière naturelle entre les deux pays. Du côté russe, la densité est inférieure à un habitant par kilomètre carré. De l'autre côté, on en compte 84. Les investissements chinois atteindraient à ce jour 3 milliards de dollars dans l'extrême orient sibérien. Et les mines russes de ces régions emploient de plus en plus de travailleurs chinois.

Au sud, le contrôle des volontés d'autonomie des peuples du Caucase est un défi traditionnel de l'histoire russe. Après le recul des années 1990, marquées par le rapprochement avec l'Occident de pays comme la Géorgie ou l'Azerbaïdjan, la Russie a opéré un récent rappel à l'ordre. Elle joue de ses ressources énergétiques comme d'une arme de dissuasion pour remettre la main sur un carrefour stratégique qui lui ouvre la voie vers les mers du Sud et le Moyen-Orient. L'intervention militaire en Géorgie et l'implication russe en Tchétchénie témoignent de ce désir de ne pas perdre son influence sur ses marges méridionales, malgré la multiplication des rébellions islamistes et les attaques terroristes qu'elles provoquent au cœur du pays.

À l'ouest, la victoire en Ukraine du parti pro-russe et le soutien accordé à la Biélorussie, malgré les tensions liées au prix du gaz, marquent également la reconquête russe de sa zone d'influence. L'arme privilégiée qu'utilisent les Russes pour peser sur les décisions occidentales est la politique énergétique. Étant donné la dépendance européenne en la matière, la Russie perçoit le gaz comme un levier de rétablissement géopolitique visant à mettre fin à la progression de l'OTAN dans ces régions.

Le manque de diversification économique

En dehors des secteurs stratégiques, la Russie n'a pas utilisé de façon économique ses ressources financières par la mise en œuvre d'un important réseau d'entreprises nationales publiques ou privées. Elle a plutôt choisi de faire appel aux entreprises occidentales, en leur donnant des facilités pour mettre en œuvre leurs technologies ou prendre des positions, et en affichant une attitude bienveillante à leur égard. Sa position a donc été marquée par une sorte de coexistence entre un interventionnisme nationaliste dans les secteurs stratégiques, et un libéralisme assez ouvert dans les secteurs non stratégiques, faisant finalement confiance à une myriade de firmes occidentales pour développer l'industrie et les services, dans les domaines qui n'apparaissaient pas importants en matière militaire. C'est pour cette raison – en plus de l'influence structurante du régime communiste pendant près de soixante-dix ans – qu'il n'existe pas en Russie de capitalisme familial qui permette l'essor d'une classe d'entrepreneurs. Cette stratégie de niche dans la rente et l'industrie militaire donne à l'économie russe l'image d'une pyramide inversée : un sommet étoffé avec de grandes entreprises souveraines contrôlées par l'État, et une base faible de moyennes et de petites entreprises.

La baisse du niveau scientifique

L'Union soviétique a été un bastion de la recherche scientifique. Le prestige technologique soviétique rayonnait dans les domaines de la recherche spatiale, du nucléaire ou de la physique. Malgré le maintien du système de formation scientifique, le recul depuis le début des années 1990 est impressionnant. La part de la richesse nationale consacrée à la recherche a presque été divisée par deux. En moins de dix ans, le nombre de personnes travaillant dans le secteur de la recherche et du développement a également diminué de moitié. La réduction de l'économie russe à la seule exploitation des matières premières, l'inertie institutionnelle et l'insécurité juridique, ont accéléré ce déclin. Entre 2001 et 2006, on a enregistré une baisse de 29 % du nombre de publications scientifiques. Le nombre de demandes de brevets est lui aussi en chute libre. Les instituts et laboratoires de recherche se trouvent déconnectés des entreprises et négligent la recherche appliquée.

Les grandes entreprises d'État

La Russie accorde une place écrasante à ses grands groupes énergétiques. Les sociétés étrangères y ont une place limitée et le tissu d'entreprises moyennes est faible. La répartition des entreprises y est donc très déséquilibrée et ne favorise pas la sortie du modèle rentier.

Les grandes entreprises d'État incarnent l'avantage compétitif russe lié aux matières premières. Dans le domaine énergétique, les grands noms sont Gazprom, Rosneft et Lukoil. Dans le domaine métallurgique, les principaux acteurs sont Severstal et Norilsk Nickel. Dans le secteur de l'aluminium, le leader est le groupe Rusal.

Ces grands groupes présentent trois caractéristiques majeures : ils se concentrent sur l'exploitation des ressources minières, pétrolières ou gazières et se diversifient peu ; ils sont proches du pouvoir ; ils sont faiblement concurrencés. On retrouve ces trois caractéristiques dans le cas de la première entreprise russe, Gazprom. Les années où les prix du gaz et du pétrole sont élevés, Gazprom peut représenter jusqu'à 20 % des rentrées budgétaires de l'État russe, qui exerce sur elle un contrôle étroit. Entre 2004 et 2006, lors de la reprise en main par Poutine des sociétés énergétiques, la part de l'État au capital de Gazprom est passée de 38 à plus de 50 %. La position du groupe est monopolistique. Il contrôle 90 % de la production gazière du pays. À lui seul, il contrôle 16 % des réserves de la planète et possède également le plus grand réseau d'oléoducs et de gazoducs au monde, avec 150 000 kilomètres de pipelines. Les meilleures années, la société affiche des bénéfices records ; comme en 2007, où elle a dégagé près de 18 milliards d'euros. La stratégie de Gazprom suit à la lettre la politique étrangère du Kremlin. Premier fournisseur de gaz d'Ukraine, Gazprom a été le bras armé de Moscou dans les tensions politiques sur le prix du gaz en 2006. C'est Gazprom qui, en négociant avec ses partenaires chinois, japonais et sud-coréen, mène la politique d'élargissement de la distribution des ressources russes, pour contrer les tentatives européennes de diversification. L'Union européenne dépend du gaz du géant russe. Gazprom fournit 100 % de son gaz à la Finlande, 55 % à l'Autriche, près de 40 % à l'Allemagne…

Le complexe militaro-industriel

Le complexe militaro-industriel est une chasse gardée de l'État. Il est hérité de l'Union soviétique qui en avait fait un axe essentiel de sa politique industrielle. À l'époque, l'industrie de défense soviétique représentait 8 % du PIB et 47 % des dépenses publiques. L'URSS était le premier producteur d'armes au monde. Aujourd'hui, le secteur est divisé en différentes agences selon leur domaine de compétence : les systèmes de contrôle, l'aérospatiale, les munitions, les constructions navales… La Russie, par exemple, reste le principal producteur de chars au monde, avec la moitié de la production mondiale. Elle décline toujours des modèles créés à l'époque soviétique. De même, la production d'armes légères, qui varie de 500 000 à 1 million d'armes par an, vit sur les acquis du temps communiste. La construction navale emploie encore 200 000 personnes dans plus de 150 entreprises. La filière militaro-industrielle, bien que vieillissante et ayant souffert du démantèlement des années 1990, demeure un secteur important de l'économie russe, étroitement protégé par l'État.

L'ouverture limitée aux entreprises étrangères

Malgré l'ouverture libérale menée dans les années 1990, le marché russe présente des barrières commerciales plus élevées que dans les autres pays industrialisés. Il existe une semi-économie de marché pour toute une série de biens considérés comme non stratégiques. Pour le reste, les incursions des entreprises étrangères dans les filières stratégiques sont rares et étroitement surveillées.

La croissance de la consommation attire pourtant les groupes étrangers, en dépit des contraintes qu'ils rencontrent. Le secteur automobile est l'un des plus florissants. Les ventes de voitures ont bondi de 30 % en 2010. Mais, pour pénétrer le marché, les constructeurs internationaux doivent répondre aux conditions posées par le Kremlin. Pour éviter des tarifs douaniers élevés, ils ont l'obligation de produire sur place 300 000 véhicules au minimum, le but étant pour le gouvernement d'accompagner le transfert de connaissance et de protéger l'emploi russe. Cela entraîne une multiplication des alliances entre multinationales et groupes locaux. En dehors de la co-entreprise surveillée, le développement des multinationales en Russie est difficile.

Mais la perspective de l'entrée de la Russie à l'OMC offre des chances de libéralisation du marché russe.

Les relations avec les grands pays

Les relations avec les États-Unis ont radicalement changé depuis la chute du Mur. L'heure n'est plus à la guerre froide, plutôt à la coopération forcée, morose et méfiante. Les tensions existent toujours, mais à un degré moindre. Le dossier du bouclier antimissile, que l'administration Bush avait déployé en Europe de l'Ouest, en est la première preuve. Mais l'administration Obama a revu à la baisse le dispositif de défense américain. Le dossier du désarmement est un signe de la nouvelle coopération entre Américains et Russes, qui ont conclu un nouvel accord START. Les deux parties ont compris que l'axe stratégique mondial n'était plus l'axe russo-américain, rendu caduc par la montée en puissance de la Chine. Les États-Unis acceptent, de leur côté, le rapprochement entre leur allié traditionnel allemand et la Russie. Les Russes, quant à eux, ont laissé l'armée américaine intervenir en Afghanistan et disposer des bases dans ses anciens pays satellites.

Avec l'Europe, la première incertitude concerne le niveau de coopération entre la Russie et l'Allemagne, et par conséquent le rôle de l'Union européenne, en particulier celui de la coopération franco-allemande. Visiblement, des domaines de coopération germano-russes pourraient se substituer pour une large part à des domaines de coopération franco-allemands. Cela se résoudrait à long terme soit par une véritable rupture du point fort de l'Union européenne, l'alliance franco-allemande, soit au contraire par une intégration de la Russie au sein d'une nouvelle Union européenne.

Quoi qu'il en soit, on constate une interconnexion économique croissante entre la Russie et l'Europe occidentale, ne serait-ce que par le besoin européen en gaz et pétrole russes. Le pays charnière dans ce domaine est bien évidemment l'Allemagne, puisque c'est elle qui, pour ses besoins énergétiques, fait le plus appel à la Russie, surtout depuis l'abandon du nucléaire. Et c'est également elle qui y trouve le principal bénéfice, en étant le grand fournisseur de biens d'équipement industriels chaque fois que la Russie entreprend un grand développement économique sectoriel, que ce soit dans son secteur traditionnel ou dans toute une série de ses équipements pour les secteurs stratégiques.

Côté asiatique, le voisin chinois est devenu, en février 2009, le premier partenaire commercial de la Russie ; la Chine est désormais incontournable, bien qu'elle suscite de la part de Moscou de la méfiance pour plusieurs raisons.

Aujourd'hui, les relations sino-russes ne sont pas loin de ce qu'elles étaient à l'époque de Mao et de Staline : ambivalentes, elles oscillent entre méfiance et intérêts communs. La forte consommation chinoise en hydrocarbures offre des débouchés à la production russe. La Russie est le premier producteur mondial de pétrole. La Chine est le premier consommateur mondial d'énergie. En septembre 2010, les présidents russe et chinois ont inauguré un nouveau pipeline reliant les champs de Sibérie aux raffineries de la ville chinoise de Daqing. D'une capacité de 300 000 barils par jour, cet oléoduc est long de plus de 3 000 kilomètres. Il répond aux objectifs des deux parties : trouver d'autres voies d'exportation que l'Europe du côté russe, depuis que l'Europe cherche à modérer sa dépendance énergétique, et soutenir la croissance de ses besoins du côté chinois.

Ce rapprochement s'accompagne d'une observation attentive du grand voisin chinois, qui donne lieu à des attitudes partagées, tantôt voulant nouer un dialogue, tantôt se montrant particulièrement prudent. La Russie est en effet au premier rang pour observer la montée en puissance de ce pays, qui se traduit d'ailleurs par une présence économique chinoise de plus en plus importante dans les villes de Sibérie. Dans certaines régions, on peut même commencer à voir se dessiner ce que l'on voit déjà dans d'autres pays importants d'Asie, tels que l'Indonésie et la Malaisie, où le pouvoir politique est conservé par les nationaux, mais où le pouvoir économique passe largement dans les mains de minorités chinoises, qui jouent un rôle essentiel dans le domaine de la production des usines et dans le domaine commercial.

Cette pénétration « douce » de la Chine dans l'est de la Russie ne met donc en cause ni la souveraineté politique russe ni le contrôle par Moscou des ressources stratégiques, notamment énergétiques. Mais elle met cette fois en avant l'interconnexion des intérêts chinois et russes.

Il existe donc entre la Russie et la Chine la possibilité d'une alliance dans le cadre du groupe de Sanya, constitué par le Brésil, la Russie, l'Inde, la Chine et l'Afrique du Sud. Mais cette alliance restera une paix armée.

La caractéristique majeure de la Russie est d'avoir adopté le modèle de développement dit modèle rentier, dont elle n'est pas près de sortir. Ses réserves naturelles, en particulier dans le domaine pétrolier et plus encore dans le domaine gazier, resteront longtemps sa force première. Ses ressources sont donc liées à un nombre limité d'industries stratégiques, essentiellement productrices de matières premières et d'énergie. L'économie russe est une économie au service d'ambitions politiques. Le développement du marché intérieur, le niveau de vie de la population et la diversification économique passent au second plan.

Interconnexion avec la Chine, dans un climat de méfiance qui reste important, interconnexion étroite avec l'Europe occidentale, encore une fois à travers le pays pivot qu'est l'Allemagne, telles sont les grandes tendances de l'économie russe. Elles s'accompagnent d'un débat politique vif, où la Russie alterne entre un désir d'ouverture vers l'Occident et les fréquents rappels à la nécessité de respecter sa souveraineté, de ne pas élargir l'Europe, et notamment l'Union européenne, vers des pays qui n'ont à ses yeux aucune vocation à y entrer. Sans oublier quelques rappels, parfois un peu brutaux, de la dépendance des pays occidentaux vis-à-vis des ressources énergétiques russes.

La grande question est de savoir si la Russie pourra ou non utiliser les ressources tirées de l'exploitation de ses matières premières pour mettre en place une véritable politique industrielle : la Russie est-elle prête à mettre à profit sa rente non pour une simple renaissance politique, mais pour une renaissance économique ? Ce renouveau pourra s'effectuer par le biais d'une stratégie offrant une large part aux entreprises occidentales – chemin qu'a suivi par exemple dans le passé l'Espagne et que suit actuellement un pays comme le Brésil –, ou en donnant la priorité à des entreprises de nationalité russe, stratégie menée par la Chine actuellement.

De ce choix, qui là encore est un choix entre l'autonomie nationale et la coopération avec l'Europe occidentale, dépendent beaucoup le rang économique russe et son intégration dans l'Union européenne. Un schéma coordonné, plus harmonieux, avec la Russie, serait de nature, en particulier en apportant les ressources énergétiques qui font défaut à l'Europe occidentale, à donner un poids accru à une Europe qui définirait à ce moment-là une véritable politique face aux mondes chinois et américain.

Mais si la Russie adopte une attitude contraire et suit la loi chinoise d'autonomie nationale de réindustrialisation sur la base d'entreprises de nationalité russe, on peut prédire une confrontation beaucoup plus vive avec les firmes occidentales. Cette attitude lui donnerait plus d'autonomie politique, mais peut-être moins de poids sur le plan économique.

Chapitre 12

Le Royaume-Uni

En 2007, à la veille de la crise, l'Europe était anglaise. Les règles de la City s'imposaient aux banques et aux entreprises. Les jeunes étudiants rêvaient d'aller faire fortune dans les métiers de la finance londonienne. Londres s'affirmait comme un centre culturel particulièrement dynamique. La Commission européenne était pénétrée des idées libérales venues de Grande-Bretagne. Aujourd'hui, le pays européen donné en modèle est désormais l'Allemagne. Comment expliquer ce subit retournement de situation ?

La Grande-Bretagne incarne le modèle libéral-financier de manière bien plus poussée que les États-Unis. Son avantage compétitif est tout entier porté par la City. Les sociétés britanniques ouvrant grand leur porte aux capitaux étrangers, les réflexes de protection nationale y sont rares. Le pays dispose d'élites financières compétentes et très internationalisées. L'idéologie libérale, fondée sur la méfiance vis-à-vis des pouvoirs publics et la capacité individuelle, est le mode de pensée du pays. Le système politique reste stable, malgré les alternances.

Le secteur industriel, pourtant point fort historique de l'économie britannique depuis le XIXe siècle, joue maintenant un rôle très limité. Ce profil économique, tourné vers les services et la finance, a largement exposé le pays à la crise de 2008, de sorte qu'il doit aujourd'hui faire face à plusieurs défis. Il doit défendre son avantage compétitif face à une double menace : les tentatives de réglementations européennes de la filière financière et la concurrence accrue des places asiatiques. Ensuite, pour lutter contre une dégradation de sa balance commerciale et de ses comptes publics, il doit se pencher sur la situation de son industrie – en particulier sa partie exportatrice, laissée pour compte –, et sur sa politique énergétique, qui ne peut plus compter sur la rente de la mer du Nord.

La cohérence idéologique

Les îles Britanniques sont depuis le XVIIᵉ siècle de Locke le foyer de l'idéologie libérale. Elles ont donné naissance à deux concepts fondamentaux du libéralisme – la primauté de l'individu et la méfiance envers l'État –, et ne cessent d'incarner depuis cette fonction de laboratoire d'idées libérales. L'État-providence est une création du libéralisme britannique ; Keynes, le plus grand penseur économique du XXᵉ siècle, ayant même été membre du parti libéral et non du parti travailliste. La révolution conservatrice des années 1980, qui s'est propagée aux États-Unis sous Reagan, a été forgée en Grande-Bretagne par Margareth Thatcher. La nouvelle gauche européenne des années 1990, qui a assoupli sa position face à l'économie de marché et qui a été reprise en grande partie aux États-Unis par Bill Clinton, a été inventée par Tony Blair.

Le Royaume-Uni a réussi à incarner cette cohérence idéologique forte dans un instrument économique redoutable : la City.

La City

Depuis de longues années déjà, le Royaume-Uni a fait le choix de privilégier des activités financières sur son territoire. Il dispose à cet égard d'un outil exceptionnel qui représente un remarquable avantage compétitif par rapport aux autres États : la City de Londres. À ce titre, la City est le joyau de la couronne britannique.

Cet ensemble désigne une série de firmes dont les liens sont étroits : complicités individuelles et humaines, partage de convictions et, bien évidemment, pouvoir d'influence et de lobbying commun qui se révèle considérable sur les autorités britanniques et européennes.

Plus encore que les firmes qui la composent, la force de la City réside dans son professionnalisme, ses capacités intellectuelles et sa compétence dans de nombreux secteurs. Elle brille davantage par ses individus – banquiers, avocats ou gestionnaires de fortune – que par les firmes auxquelles ces derniers appartiennent. Bien sûr, il existe une liaison étroite entre une firme d'avocats prestigieuse comme Linklaters et la qualité des juristes qui y travaillent. Mais, la fidélité de ces acteurs de haut niveau appartient plus à leur profession qu'à leurs sociétés.

Ainsi, quand des groupes allemands ont acheté Morgan Grenfell ou Kleinwort Benson, deux grands noms de banques d'affaires anglaises, celles-ci ont assez rapidement perdu leurs cadres les plus brillants qui n'ont pas accepté de voir leur autonomie d'action limitée par un actionnaire étranger, *a fortiori* allemand, avec l'esprit de méthode et de discipline qui le caractérise. De ce point de vue, le cas de la Deutsche Bank est des plus intéressants, car il est inverse. Elle a acquis une vraie dimension internationale en s'emparant d'une banque d'investissement américaine. Mais les banquiers américains installés à Londres ont pris une part si importante du pouvoir, au sein du directoire de la Deutsche Bank, qu'ils ont ramené les banquiers allemands à un rôle secondaire, souvent cantonnés à la banque de détail et au financement des entreprises allemandes.

Cette prise de contrôle inversée illustre parfaitement le rapport capital-travail dit « de la profession » que nous avons décrit plus avant, où la compétence des employés est telle qu'elle parvient à dominer le capital. De plus, les équipes de la City de Londres défendent farouchement leur bonus, quels que soient les résultats de leur entreprise, ainsi que les activités spécialisées des fonds d'investissement spéculatifs, les *hedge funds*.

Les liens sont étroits entre cabinets d'avocats, gestionnaires d'épargne et de fortune, et banquiers d'investissement implantés à Londres. Ils ont l'habitude de travailler ensemble ; affaire après affaire, ils se connaissent parfaitement et leurs clients – en particulier étrangers – ont la désagréable sensation de se retrouver face à un club dont ils seront toujours exclus, et dont ils ont beaucoup de peine à comprendre les règles, le comportement des acteurs leur coûtant cher en honoraires et commissions. Très précises, ces règles professionnelles sont édictées par la City elle-même, qui est le lieu suprême de l'autorégulation, aller gique à la régulation par les États et les administrations.

La City exerce également une très forte influence sur le régulateur officiel, la FSA (Financial Services Authority), en accord avec les gouvernements britanniques. Qu'ils soient de droite ou de gauche, ils se méfient eux-mêmes de leur capacité de réglementation financière et préfèrent en confier la responsabilité à des professionnels du secteur. Cette conviction idéologique s'accompagne d'ailleurs de la volonté de garder une grande opacité dans les transactions, en privilégiant les opérations dites OTC (*over the counter*) qui ne transitent pas par des marchés réglementés, approche qui a été à la source de très graves problèmes lors de la crise financière. De plus, le Takeover Panel, qui réglemente les opérations publiques d'achat, est composé exclusivement de professionnels, par contraste avec son équivalent français l'AMF (Autorité des marchés financiers) qui est une émanation de l'État gérée par de hauts fonctionnaires.

Enfin, le club a son porte-parole, qui en assure le rayonnement international : le *Financial Times.* Ce quotidien est la voix de la City : il en incarne avec talent l'esprit, en propage les intérêts et en assure l'influence, tant en Europe que dans le reste du monde.

Résistance ou discipline

La capacité de la population à accepter les sacrifices budgétaires est importante. Le récent plan de sauvegarde lancé par le gouvernement Cameron en fournit une nouvelle fois la preuve. Les réformes sont particulièrement violentes, comparées à celles initiées sur le continent : 500 000 emplois publics supprimés, près de 100 milliards d'euros d'économies. Malgré cette cure d'austérité, la population n'est guère descendue dans les rues pour protester contre le plan de rigueur le plus sévère depuis l'après-guerre. Les subventions au logement social ont été réduites de moitié, le budget universitaire a diminué de 25 %, celui de la police de 20 % et celui des collectivités locales de près de 30 %. Même Margareth Thatcher n'avait pas pris de mesures aussi drastiques. Néanmoins, 60 % des citoyens jugent que le plan d'austérité est nécessaire et la cote de popularité du Premier ministre David Cameron se maintient à un bon niveau – 43 % d'opinions favorables en avril 2011.

Comment expliquer cette résignation ou cette faculté à encaisser les chocs dans une société où la solidarité nationale est moins développée et où les inégalités sociales sont plus importantes qu'ailleurs ? L'explication réside dans ce qu'on pourrait appeler la discipline sociale britannique. Dans une société aussi clivée socialement, rares sont ceux qui contestent leur rang social. Cette discipline rend compte d'une société extrêmement inégalitaire tout en étant farouchement rétive à toute fronde.

Londres

La ville de Londres fait figure de centre international particulièrement efficace pour attirer les plus hauts revenus. À l'origine excentrée du cœur de l'Europe, elle a su devenir une place indispensable pour les fortunes mondiales. Une grande partie de la métropole s'est spécialisée dans l'accueil et les services de ces élites. Le prix de l'immobilier, la qualité des services, l'effet d'attraction exercé par les hautes rémunérations de la City, l'offre culturelle ont fait de Londres une place forte des classes privilégiées internationales. Les millionnaires ou milliardaires russes, indiens, égyptiens… sont nombreux à y avoir élu domicile. La City est aussi la source de revenus élevés, accordés à ceux qui y travaillent. Le gouvernement britannique veille à ce qu'ils payent des impôts relativement faibles pour mieux dépenser une part importante de leurs revenus. Cette politique participe de la prospérité de Londres et profite en particulier à de nombreux secteurs professionnels, depuis le personnel des restaurants jusqu'aux gens de maison, en passant par les entreprises du luxe.

Le déclin séculaire de la grande puissance

Le XXe siècle correspond à un siècle de recul de la puissance britannique sur la scène mondiale. Au siècle précédent, l'Empire victorien est de loin la première puissance mondiale. C'est la première puissance coloniale, commerciale, industrielle, militaire et maritime au monde. L'essor économique des États-Unis, la Première Guerre mondiale et la crise des années 1930 réduisent considérablement son leadership. Commence alors le lent déclin de l'industrie du charbon, qui s'achèvera sous Margareth Thatcher. Le second conflit mondial sonne définitivement le glas de la suprématie britannique. En deux décennies, la Grande-Bretagne perd l'ensemble de son empire colonial. Celui-ci s'était déjà effrité à partir de la fin du XIXe, lorsque la Couronne avait dû accorder à certaines colonies le statut de dominions qui leur attribuait une réelle autonomie de fait. L'après-guerre correspond aussi à une baisse du pouvoir économique britannique. Les exportations n'atteignent qu'un tiers du niveau d'avant-guerre. Son endettement extérieur excède de quinze fois ses réserves de devises et d'or. Le Royaume-Uni est surnommé à l'époque « l'homme malade de l'Europe ». Et il passe à côté de la croissance des Trente Glorieuses que connaît le continent européen.

La fin de la rente énergétique

La Grande-Bretagne doit aujourd'hui faire face au défi que représente la fin de la rente de la mer du Nord. Les gisements au large des côtes orientales de l'Écosse s'épuisent. Le pic pétrolier et gazier a été atteint en 2000 ; depuis, les réserves s'amenuisent. La Grande-Bretagne doit donc revoir son modèle énergétique jusque-là fondé sur ses ressources marines, dont l'épuisement a été peu préparé. Les relais énergétiques au gaz écossais ont du retard et seront plus coûteux. Le pays s'est lancé dans de vastes projets nucléaires, mais qui ne devraient pas entrer en fonction avant 2017. Les fermes éoliennes installées en pleine mer ne devraient pas être prêtes avant 2020. Par ailleurs, le parc des centrales conventionnelles au gaz est vieillissant, de sorte que la demande d'électricité excédera en 2015 ou 2016 les capacités de production[1]. Inévitablement, la dépendance à l'égard du gaz étranger va s'accroître et la facture énergétique augmenter.

La spécialisation financière

Les activités financières sont pour la Grande-Bretagne la source de revenus essentielle. Beaucoup d'argent émane des firmes étrangères qui, pour mener un certain nombre d'actions (y compris en euros), sont pratiquement obligées de passer par les entreprises compétentes de la City. De plus, elles attirent des capitaux étrangers – en particulier les revenus pétroliers du Moyen-Orient – qui, placés en livres sterling, jouent un rôle déterminant pour financer le déficit commercial considérable du Royaume-Uni.

Ce pays a privilégié de longue date l'activité financière au détriment de l'activité industrielle, considérant qu'il lui sera toujours possible de trouver des gens prêts à financer son déficit commercial. Ce fut le cas jusqu'à présent, mais l'avenir d'un tel pari est aujourd'hui pour le moins incertain.

Ce choix opéré par la Grande-Bretagne en faveur du secteur financier aboutit à une série de conséquences tangibles. En premier lieu, la Grande-Bretagne est l'un des rares pays au monde où l'achat d'une société britannique renommée, quel que soit son domaine (industriel, commercial…), à la seule exception du domaine stratégique, soulève le minimum d'objections. Le maintien d'un contrôle actionnarial dans des mains britanniques n'apparaît pas important, comme on l'a vu avec la prise de contrôle par des étrangers de banques de la City.

1. Cf. *La Tribune*, 7 mai 2010.

Or, cette approche s'étend étrangement à l'ensemble du secteur industriel, tant il est vrai que les Anglais réagissent fort peu au rachat par des étrangers de leurs entreprises nationales. Une telle indifférence s'est traduite par des opérations spectaculaires, telles que la disparition de grands noms de l'industrie chimique comme ICI (Imperial Chemical Industries), ou automobile comme British Leyland, ou encore le rachat de Pilkington, concurrent historique de Saint-Gobain, par le Japonais Nipon Sheet Glass.

Cette politique a pourtant une incidence directe sur l'évolution du commerce extérieur britannique, comme le montre le graphique ci-après. Tout d'abord, la part britannique dans les exportations mondiales est, de tous les pays industrialisés, celle qui a le plus décru. Cette diminution a été longtemps compensée par le fait que le pays disposait d'une importante rente pétrolière et gazière. Mais cet atout est en train de disparaître et l'Angleterre va à nouveau devoir importer une part très significative de son énergie.

Le gouvernement a d'ailleurs pris conscience de ce renversement et de la gravité de la situation future, en se prononçant en faveur d'un renouveau du nucléaire en Grande-Bretagne, tout en cédant à l'étranger ses fleurons industriels comme Westinghouse, l'un des grands constructeurs de centrales britanniques, vendu par le gouvernement à Toshiba. Cette attitude contraste avec celle du gouvernement français et son soutien par une majorité de contrôle du capital, tant à EDF qu'à Areva, et plus récemment par la façon dont il a veillé à la cession d'Areva TD (transmission et distribution d'électricité) à des groupes français comme Alstom et Schneider.

En matière d'innovation, le bilan est également mitigé. Certes, la recherche fondamentale britannique reste de haut niveau, en particulier dans les grandes universités comme Cambridge et Oxford, qui soutiennent aisément la comparaison avec leurs homologues français et allemande. Mais, malgré un soutien idéologique fort, la politique britannique, en s'efforçant de copier le modèle américain, a échoué à favoriser de petites entreprises innovantes qui se seraient ensuite développées à l'échelle internationale. Quelques tentatives ont avorté, par exemple dans le domaine des mini-ordinateurs ou des téléphones. Ainsi, une société comme Palm, qui avait bien démarré, a finalement achoppé face à ses concurrents comme l'Américain Apple.

Le déclin des exportations britanniques, l'absence de développement industriel de remplacement significatif dans les secteurs nouveaux – à l'exception de notables succès dans la pharmacie – et la réduction accélérée de la production énergétique nationale creusent un nouveau déficit qui met en péril le financement du pays et l'avenir de la livre en tant que monnaie.

Figure 14
Solde commerce extérieur

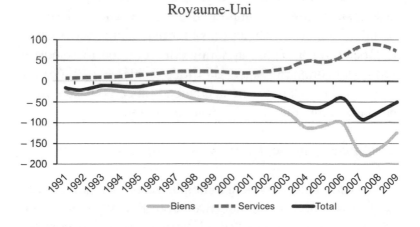

SOURCE : OMC.

De fortes inégalités sociales

Dans le modèle libéral-financier, les écarts de revenus et les inégalités sociales sont plus poussés que dans le modèle commercial-industriel. Le Royaume-Uni se range ainsi parmi les pays les plus inégalitaires du monde développé. Une étude menée en 2010 pour le ministère de l'Égalité, intitulée le *National Equality Panel*, rend compte de l'état des différences sociales et de leur évolution ces trente dernières années. L'expérience Thatcher a creusé les écarts sociaux, que l'expérience travailliste n'a pas diminués. Aujourd'hui, la richesse que possèdent les plus favorisés de la population – les 10 % les plus fortunés – est 100 fois plus élevée que celle que détiennent les 10 % les plus pauvres. Entre les années 1980 et les années 2000, les écarts de revenus ont diminué en France et ont été maintenus au Japon, en Allemagne et dans les pays scandinaves ; ils ont explosé en Grande-Bretagne et aux États-Unis. Depuis l'entre-deux-guerres, le Royaume-Uni n'est jamais été aussi inégalitaire. Par rapport au début des années 1970, la part de revenus des 1 % les plus favorisés a plus que doublé. La société britannique apparaît donc comme une société fortement compartimentée, où l'idée de classes sociales est encore valide, étant donné la chance limitée pour un enfant de classe populaire de s'élever socialement.

L'affaiblissement du lien avec les États-Unis

Après la guerre irakienne menée main dans la main par les États-Unis et la Grande-Bretagne, l'arrivée de Barack Obama a signé le recul des relations privilégiées entre les deux pays. Un comité de députés britanniques a même déclaré en 2010, que la « relation spéciale » entre les deux pays était morte. Du point de vue britannique, la guerre en Irak a nui à la réputation internationale du Royaume-Uni, considéré par beaucoup comme soumis aux États-Unis. Des tensions économiques sont apparues. L'acquisition de l'entreprise agroalimentaire Cadbury par l'Américain Kraft a été mal perçue en Grande-Bretagne, malgré la faiblesse du nationalisme économique britannique. Le rachat est intervenu en pleine crise économique et a touché l'une des entreprises qui incarnent le plus l'identité économique du royaume – et qui est un important employeur. Du côté américain, le Royaume-Uni est de plus en plus perçu comme un partenaire comme les autres. Surtout, depuis l'accession de Barack Obama à la présidence, l'attention américaine s'est détournée de l'Europe pour se porter vers l'Asie.

L'Europe et le futur britannique

Deux menaces, qui pèsent sur le pays et sa monnaie, risquent de modifier les liens entre l'Europe et la Grande-Bretagne.

La livre sterling va d'abord être affaiblie par un déficit commercial dont on ne voit pas comment il pourrait être diminué. En effet, dans les années qui viennent, la Grande-Bretagne va devoir, d'une part, importer massivement énergie et matières premières alors que, d'autre part, elle refuse toute intervention étatique en faveur d'une réindustrialisation du territoire. Il n'existe pas de pays au monde où la notion de politique industrielle soit plus critiquée qu'en Grande-Bretagne.

La deuxième source d'affaiblissement et d'incertitude qui pèse sur la monnaie anglaise est le déficit considérable du budget britannique, conséquence inévitable du sauvetage de ses institutions financières. Le trou dans les finances publiques s'élève aujourd'hui aux environs de 12 % de la richesse nationale. Le prix à payer va être infiniment plus élevé qu'en France. En raison des erreurs qu'elles ont commises, la préservation des grandes banques britanniques, comme RBS ou Barclays, a coûté bien plus cher que le sauvetage de Dexia ou Natixis.

Si l'on exclut un financement de la dette par la banque centrale (émissions du Trésor britannique), la Grande-Bretagne est donc contrainte d'attirer des capitaux étrangers. Deux hypothèses sont vraisemblables : soit il faudra accepter des taux d'intérêt extrêmement élevés, soit la livre sterling ne pourra plus se maintenir et la Grande-Bretagne sera obligée, à son corps défendant, de rejoindre la zone euro. Elle ne sera sans doute pas la seule à devoir suivre cette voie. L'Islande, où la débâcle bancaire a été encore plus forte qu'en Grande-Bretagne, y est contrainte à son tour. Cette deuxième hypothèse serait politiquement douloureuse.

Quelles seront les conséquences pour l'euro de ce ralliement britannique ? Il n'est pas certain qu'elles soient toutes sympathiques. En effet, la politique de la Banque centrale européenne, installée à Francfort, reproduit pour l'essentiel les grands principes d'action de la Bundesbank ; son objectif est de faire de l'euro une monnaie aussi solide que le fut le deutschemark. La vision beaucoup plus souple des Britanniques pourrait tenter d'infléchir cette tendance, même si la BCE aura beaucoup de peine à accepter de remettre en cause sa politique.

L'influence de la Grande-Bretagne sur l'euro se fera également sentir sur le plan réglementaire. L'influence des décisions franco-allemandes ne risque-t-elle pas d'être concurrencée, voire progressivement supplantée par une vision britannique qui prenne en compte de façon directe les intérêts de la City ? Autrement dit, dans le débat qui oppose les partisans d'une régulation et ceux d'un libre marché, si la Grande-Bretagne rejoint la zone euro, cette dernière gardera-t-elle les moyens nécessaires à une action cohérente, en ne cédant pas aux lobbys financiers ?

La City détrônée

On assiste, depuis la crise, à un déplacement très net de la finance mondiale vers le monde asiatique. Ce mouvement remet en cause peu à peu les places financières occidentales. Les futurs concurrents sérieux de Londres sont vraisemblablement le triangle interconnecté Singapour-Hong Kong-Shanghai s'appuyant à plus long terme sur l'émergence d'une nouvelle monnaie mondiale : le yuan chinois. Mais ce mouvement menace plus directement Londres que New York. Les employés de la finance suivent ce déplacement. En 2010, 31 % des nouveaux travailleurs étrangers du secteur financier en Asie étaient originaires de Grande-Bretagne ou des États-Unis, contre 8 % l'année précédente[1]. La banque Goldman Sachs envoie de plus en plus ces recrues, après une rapide année de formation à Londres ou à New York, commencer leur carrière en Asie ou au Brésil. Le directeur général de la banque HSBC a quitté la City pour s'installer en Asie. Ce déplacement du centre de gravité de la finance mondiale est accéléré par les différences fiscales. Un banquier voit ses revenus taxés à hauteur de 15 % à Hong Kong contre 45 % à Londres. Les places financières asiatiques suivent le rythme des croissances chinoise, indienne, vietnamienne…

Le grand défi qui attend le Royaume-Uni est donc la remise en cause du leadership de la City comme plateforme financière internationale de premier plan. Jusqu'à

1. Cf. *The Economist*, 16 avril 2011.

présent, le gouvernement britannique avait réussi à défendre cette position. Sa politique, cohérente par le passé – alliance du gouvernement et de la City – peut être sauve-gardée, mais le déficit commercial et l'état de la livre ster-ling vont réduire ses marges de manœuvre. Sur ce point, la Grande-Bretagne est assez similaire aux États-Unis et aux faiblesses que sont le déficit commercial et le dollar. Mais malheureusement pour la Grande-Bretagne, la position de la livre sterling est beaucoup plus fragile que celle du dol-lar, qui reste la principale monnaie de réserve.

Comme on l'a vu, la grande incertitude qui pèse sur le Royaume-Uni est l'avenir de son système financier, qui forme le cœur de son économie et de sa régulation. On voit là s'affronter deux tendances : l'une soutenue par les grands pays de l'Europe continentale – la France et l'Alle-magne au premier chef ; l'autre farouchement défendue par la City, la Grande-Bretagne et aussi par le gouvernement américain, sous l'influence de ses grandes banques.

La première tendance veut tirer les conséquences des excès dramatiques pour l'économie mondiale commis par nombre d'institutions financières anglo-saxonnes. Ces déri-ves, à l'origine de la récession, sont clairement dues à la croyance des gouvernements britannique et américain dans l'autorégulation des firmes financières, qui explique leur refus de toute réglementation. La France et l'Allemagne souhaitent que de tels excès ne se reproduisent plus et pro-posent que les transactions s'effectuent désormais dans le cadre d'un marché réglementé. Cette régulation reposerait sur trois règles du jeu : faire en sorte qu'une grande transpa-rence se substitue à l'opacité ; créer une réglementation internationale édictée par les États ; et s'assurer de l'application de ces réglementations, non par des professionnels de la finance, mais par des organismes indépendants.

À l'inverse, le gouvernement britannique soutient largement l'opinion de la City, qui peut se résumer ainsi : il faut se méfier de toute réglementation trop contraignante, qui pourrait brider la capacité innovatrice des institutions financières. En un mot, pour le Royaume-Uni, la proposition européenne d'une régulation précise des marchés est dangereuse, car elle met en cause les fondements structurels de son modèle libéral-financier. Face à la concurrence financière asiatique, à l'affaiblissement de ses relations avec les États-Unis et au déséquilibre de son commerce et de ses finances publiques, la Grande-Bretagne ne pourra pas se passer de vouloir jouer la carte européenne. La dévaluation que l'on constate déjà risque d'appauvrir le pays sans résoudre ses difficultés structurelles. La question est alors de savoir si l'axe franco-allemand résistera à la vision anglaise libérale et financière, que la Grande-Bretagne défendra avec talent et constance tant en Europe que dans le monde.

Chapitre 13

L'Allemagne

Pour l'heure, en Europe, le modèle allemand s'est révélé ces dernières années le plus efficace sur le plan économique. Il a bien résisté à la crise et celle-ci ne pose aucune raison de fond de le changer. Le déficit budgétaire allemand est assez faible par rapport à la situation de la France ou du Royaume-Uni, et le gouvernement prend dès à présent des mesures pour le ramener à zéro. Mais il faudra redoubler d'effort et même de sacrifice, car le choix allemand de l'exportation place le pays, beaucoup plus que la France, en confrontation directe avec les Chinois.

La Chine concurrence en effet l'Allemagne sur son terrain, celui des exportations industrielles de qualité. Elle a adopté le même modèle commercial industriel. Un effort important des grands pays de la zone euro, en particulier de la France, devrait être fait pour se rapprocher de l'Allemagne dans leur intérêt mutuel. Mais pareil effort n'aurait de sens que s'il s'inscrit dans une politique de coopération beaucoup plus étroite, dans le cadre d'une véritable nouvelle stratégie européenne. Face à la concurrence montante de la Chine, l'Allemagne, si elle veut à terme peser à côté des ensembles américain et chinois, a donc tout intérêt à poursuivre sa stratégie industrielle de niches à haute technologie, tout en consolidant son aire d'influence européenne.

La réunification

Le phénomène majeur de l'histoire récente allemande est la réunification. Elle a placé l'Allemagne au premier rang européen. Grâce à elle, l'Allemagne est devenue un pays de plus de 80 millions d'habitants, ce qui fait d'elle la première puissance démographique d'Europe. Elle est également le leader de l'économie du continent européen, avec 27 % de la richesse totale de la zone euro. Elle vient tout juste de céder à la Chine la première place au rang des pays exportateurs.

La réunification a pourtant présenté bon nombre de difficultés. Du jour au lendemain, l'Allemagne a dû privatiser 14 000 entreprises ou coopératives d'État dans l'ancienne RDA, où la richesse par habitant n'atteignait qu'un tiers de celle de la RFA. La mise aux normes des structures économiques, monétaires, sociales et politiques a été brutale. Elle a occasionné un important transfert de richesse, qui a pesé sur l'économie de l'Allemagne de l'Ouest. Mais la réunification a été comme un second souffle pour le pays. Elle lui a ouvert la voie de l'Europe de l'Est. Elle l'a reconfigurée à une place centrale dans le concert européen. Elle a étendu son marché domestique, permis de baisser les coûts salariaux sans trop délocaliser. L'arrivée à la tête du gouvernement d'Angela Merkel, originaire de l'Est, symbolise l'intégration réussie de l'ex-RDA, en dépit d'écarts persistants, vingt ans après la réunification.

L'économie sociale de marché

Au sortir de la Seconde Guerre mondiale, quand elle a décidé de reconstruire son économie, l'Allemagne de l'Ouest a fait le choix essentiel de l'économie sociale de marché. Depuis, ce modèle sert de base de fonctionnement à son économie. Que faut-il entendre par là ? C'est d'abord le choix d'une économie de marché : l'Allemagne a, dans le domaine des échanges de biens et services, une attitude extrêmement libérale, s'opposant à tout protectionnisme. En revanche, et contrairement à la France, elle a fait de façon explicite le choix d'une économie « sociale » de marché, ce qui renvoie d'abord et avant tout au comportement des chefs d'entreprises, qu'elles soient grandes, petites ou moyennes, qu'elles soient à capital familial ou dispersé en Bourse, qui fait que l'entreprise ne fonctionne qu'en passant des compromis avec les travailleurs et leurs syndicats.

Si l'économie sociale de marché a été mise en place par les chanceliers Adenauer et Erhard après la guerre, elle a des origines multiples : les réformes sociales de Bismarck à la fin du XIXe siècle et la démocratie chrétienne majoritaire en Allemagne de l'Ouest. L'objectif poursuivi est de concilier justice sociale et efficacité économique. Ce modèle considère aussi comme essentielle la lutte contre l'inflation, identifiée comme l'une des causes de la montée du nazisme durant l'entre-deux-guerres. Cette crainte d'un retour de l'inflation a expliqué le succès mondial du mark, l'attachement des Allemands à leur monnaie et l'orthodoxie monétaire de la Bundesbank, qui prévaut toujours aujourd'hui.

L'esprit d'unité

Le modèle rhénan, comme on l'appelle aussi, tire pleinement profit de l'esprit de solidarité nationale. Cette volonté d'unité a, pour l'industrie allemande et l'Allemagne tout entière, des conséquences absolument essentielles et structurantes. Dans les entreprises, elle a déterminé à la fois leurs choix stratégiques et la façon dont elles fonctionnent. Sur le plan de la stratégie, les entreprises allemandes ont donné la priorité à la stabilité de leur capital, à la continuité et à l'adhésion du personnel à la politique menée par les dirigeants, et finalement à un choix prioritaire de développement sur le sol national. Car, au cœur de la mise en œuvre de l'économie sociale de marché, on trouve une dimension nationaliste, qui donne la priorité au développement du maximum d'activités possibles en Allemagne.

Ce consensus repose aussi sur la conviction que la meilleure façon de développer l'emploi ne passe pas par le développement de la consommation intérieure, mais par le moyen d'amener les entreprises allemandes à être compétitives dans le domaine de l'exportation. Cela permet de faire payer à l'étranger des ressources importantes pour le pays, et cela paie également les importations. Pour obtenir ce résultat, malgré les coûts salariaux élevés, priorité est donnée au développement d'innovations technologiques, à un service au client impeccable, et à des produits de très haute qualité.

Sur le plan de l'organisation de l'entreprise cette fois, le dialogue avec les syndicats est, en Allemagne, essentiel. Il signifie d'abord la mise en œuvre d'une politique salariale « raisonnable », dont l'objectif est de doter l'entreprise de coûts salariaux compétitifs, compte tenu de la qualité des produits fabriqués et vendus. Ce dialogue implique également une association étroite des syndicats dans les projets d'investissement, de développement technologique, et les inévitables restructurations. Dans les faits, on a bien là une cogestion des entreprises allemandes par les dirigeants et les représentants de leur personnel.

Le gouvernement n'intervient pas directement. L'Allemagne n'a absolument pas suivi le schéma français d'entreprises publiques, dans lesquelles l'État interférait directement. Le seul objectif du gouvernement d'outre-

Rhin, que ce soit par son attitude, sa politique ou les textes législatifs qu'il fait voter, est de veiller à la bonne marche du consensus unissant patronat et syndicat, véritable pierre angulaire du système.

L'esprit de compromis

Encadré par la loi, ce comportement s'accompagne dans les grandes entreprises d'une structure particulière de gestion de l'entreprise, qui réserve aux syndicats la moitié des sièges au conseil de surveillance (qui joue un rôle semblable à un conseil d'administration). Bien entendu, quand un conflit surgit, la loi prévoit que, après avoir franchi de nombreux stades de concertation, le capital a le dernier mot. Mais, dans la réalité, cette politique a toujours poussé les entreprises allemandes à privilégier le compromis et à éviter au maximum l'épreuve de force. Ces préoccupations sur le fonctionnement des entreprises prennent évidemment le pas sur le pouvoir des actionnaires et leur primauté, qui est au contraire au cœur du modèle libéral-financier.

Ces dernières années, il y a bien eu une sorte de tentative de certains milieux financiers allemands pour insérer un peu de capitalisme anglo-saxon dans ce modèle de compromis entre syndicat et patronat. Et en particulier pour essayer de moderniser le fonctionnement de la gouvernance des entreprises, celui des conseils de surveillance et leur attitude vis-à-vis des actionnaires, essentiellement pour obtenir davantage de transparence et de clarté, et pour que les dirigeants aient à s'expliquer aussi avec la communauté financière et pas seulement avec leur syndicat. Cette adaptation à une gouvernance de l'entreprise plus ou moins inspirée par des principes britanniques s'est toutefois effectuée « à l'allemande » et n'a pas fondamentalement changé le fonctionnement des entreprises, alors qu'en France, par exemple, la même évolution a conduit à une véritable prééminence du pouvoir de l'actionnaire.

À cet égard, la solide situation financière de l'Allemagne ne l'obligeait pas à donner des gages de « bon comportement » aux investisseurs britanniques. Et cette attitude n'a été en rien modifiée par ce changement majeur que fut la réunification allemande. En dépit du coût élevé de l'opération, les entreprises allemandes se sont fait un devoir national d'investir dans les nouveaux Länder, c'est-à-dire l'ancienne Allemagne de l'Est, en implantant des unités de production nouvelles ou en rachetant et modernisant les unités de production qui existaient déjà, aidées en cela par de copieuses subventions du gouvernement. Ces implantations se sont néanmoins révélées à long terme moins compétitives que celles qu'ont pratiquées certaines entreprises françaises en allant s'installer en Pologne ou en République tchèque. Mais le postulat du fonctionnement des entreprises allemandes donnant la priorité à ce qui se passe sur le territoire allemand et à l'emploi allemand a été préservé.

Dans le même temps, les syndicats ont veillé à mener une politique de salaire particulièrement modérée, de façon à permettre aux entreprises de rester compétitives sur le plan extérieur, la contrepartie étant bien sûr les investissements réalisés dans l'entreprise, en particulier dans la recherche et développement, et dans la conquête de nouveaux territoires de vente de produits allemands, au fur et à mesure que s'ouvraient les possibilités des marchés de l'Europe de l'Est et de la Chine. Cette politique salariale a été beaucoup plus prudente que celle qui a été suivie en France. On peut considérer que, dans les sept dernières années, les salaires allemands ont diminué par rapport aux salaires français d'environ 15 %, ce qui a évidemment placé en situation difficile les entreprises françaises vendant leur production en Allemagne.

La décentralisation et l'homogénéité du territoire

L'Allemagne regroupe 16 Länder depuis la réunification. Chaque Land dispose d'une souveraineté interne et de compétences bien plus larges que celles des régions françaises. Chacun abrite un parlement et un gouvernement. Un Land a donc les prérogatives d'un État. Les Länder organisent des élections au suffrage universel direct afin de former une assemblée délibérante. Autre attribut étatique : chaque Land dispose de son propre gouvernement dirigé par un ministre-président. Les régions allemandes sont donc des États, qui n'ont que peu à voir avec nos collectivités territoriales.

L'importance accordée au fédéralisme en Allemagne a permis d'équilibrer le territoire. Ce régionalisme est hérité de l'histoire allemande, qui a fait de l'Allemagne par le passé une collection de villes, évêchés et royaumes indépendants. Le pays en porte encore la trace. Il n'est pas écrasé par le surpoids d'une capitale politique, économique et culturelle comme Paris et Londres. Munich au Sud, Hambourg au Nord ou la Ruhr à l'Ouest sont autant de bassins économiques performants.

La discipline et la rigueur de gestion

Pour mener à bien les réformes du début des années 2000 sous le gouvernement Schröder et en conserver les acquis par la suite, les Allemands ont témoigné d'une discipline collective et d'une rigueur de gestion impressionnantes. Ces réformes ont taillé dans les allocations chômage et les prestations sociales, et ont diminué les salaires pour retrouver de la compétitivité. Le résultat est qu'après des années de croissance faible le pays a retrouvé des taux de croissance élevés à partir de 2005. Ces réformes profondes et courageuses ont imposé des sacrifices à la population allemande. Le revenu moyen a régressé entre 2001 et 2005. Mais les résultats sont payants. L'économie a gagné en compétitivité : en dix ans, les exportations allemandes ont augmenté de plus de 6 % par an, contre moins de 3 % en France.

Le solde des paiements courants allemands s'est amélioré de 6 points, quand, dans le même temps, son équivalent français se dégradait de 5 points. On peut voir très directement les conséquences de ces options dans l'évolution du commerce extérieur entre la France et l'Allemagne, qui s'est considérablement développé à l'avantage des entreprises germaniques. Cela a été particulièrement spectaculaire dans le cas de l'industrie automobile, où les positions de Volkswagen, de BMW et de Mercedes se sont considérablement renforcées par rapport à celles de Peugeot et de Renault en France. Dans les mauvais résultats du commerce extérieur français et la façon dont il s'est détérioré au détriment du pays, le solde automobile a joué un rôle particulièrement important.

Figure 15
Solde commerce extérieur

Allemagne

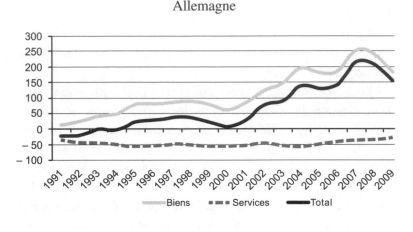

SOURCE : OMC.

L'excellence du système d'innovation

Comme on l'a montré, l'Allemagne se distingue par un système d'innovation qui ne se limite pas à la simple recherche dans les filières scientifiques. Elle est particuliè-rement attentive à la transformation économique des décou-vertes scientifiques. Son système d'innovation présente trois caractéristiques fondamentales.

La première tient aux relations étroites entre secteurs public et privé. A été inaugurée en 2006 une stratégie qui témoigne de cette approche mixte et met l'accent sur les nouvelles technologies, point faible de l'économie alle-mande. L'acteur public joue un rôle incitatif : il distribue des primes, organise des pôles de compétitivité, développe

des filières universitaires. L'organisme chargé du financement de la recherche, la Communauté de la recherche allemande (DFG, Deutsche Forschungsgemeinschaft), est
chargé de sélectionner les universités les plus innovantes et
de favoriser, d'ici à 2017, leurs liens avec l'industrie et les
autres centres de recherche. Il dispose pour cela d'un budget
de 2,7 milliards d'euros.

La deuxième caractéristique de l'innovation allemande
se trouve dans l'importance accordée aux moyennes entreprises dans le domaine de la recherche. Les technopôles, où
se mêlent chercheurs publics et privés, ont pour objectif de
favoriser le transfert des connaissances vers le tissu industriel, afin d'éviter un monopole des grands groupes sur
l'innovation nationale. C'est ainsi que les secteurs de pointe
de l'industrie allemande, comme les turbines, les composants mécaniques ou les pompes, ne cessent de progresser
et soutiennent la compétition technologique avec leurs
concurrents. On compte 100 000 sociétés de taille intermédiaire innovantes en Allemagne, y compris dans des secteurs très classiques comme la mécanique. Le système
d'innovation allemand s'accorde donc à l'identité propre du
tissu industriel allemand.

La troisième caractéristique est que l'innovation allemande est généraliste. Bien plus qu'en France, elle
concerne le marketing, le design, la gestion… L'esprit global d'innovation est bien plus répandu en Allemagne. Les
brevets déposés y sont de nature très diverse. L'Allemagne
dépose chaque année auprès de l'Office central des brevets
26 500 brevets, ce qui la place de loin au premier rang
européen. Les entreprises allemandes sont particulièrement
actives dans le domaine : les groupes Siemens, Bosch et
BASF, à eux seuls, proposent environ 5 000 brevets par an,
ce qui les situe parmi les sociétés les plus innovantes au
monde.

À côté de ces nombreux avantages, il existe des inconvénients de diverses natures au modèle allemand.

La décentralisation

Bien qu'elle soit un avantage pour les raisons précédemment énoncées, la décentralisation pose plusieurs problèmes. Le plus marquant a trait au système universitaire. La décentralisation entrave la formation de grands établissements d'enseignement supérieur. Les instituts de technologie qui forment les ingénieurs sont trop nombreux – environ 150 – et trop peu spécialisés, chaque Land développant son offre universitaire propre, sans tenir compte généralement des actions des Länder voisins. Bien qu'une dizaine d'universités aient été sélectionnées pour développer leur excellence scientifique à un niveau mondial, avec le soutien de l'État fédéral, le système universitaire allemand demeure trop émietté. On y dénombre au total pas moins de 370 établissements d'enseignement supérieur.

L'évolution démographique

L'Allemagne a vu le nombre de ses habitants faire un bond lors de la réunification. Mais elle fait face aujourd'hui à une évolution démographique défavorable. L'Allemagne est le premier pays européen à avoir connu une forte chute de sa fécondité. Malgré la réforme de la politique familiale de 2007, le nombre de naissances ne cesse de diminuer depuis le début des années 1990. De 900 000 naissances en 1990, on est passé à 665 000 en 2009, de sorte que la dénatalité est devenue massive et structurelle. Au rythme actuel, l'Allemagne devrait perdre, à l'horizon 2050, 18 millions d'habitants. La population atteindra alors 64 millions. À la même date, la part des plus de 60 ans atteindra 40 %, contre 25 % actuellement. Cette tendance affectera fortement les dépenses sociales. Un recours massif à l'immigration est donc impératif en Allemagne. Or, de récentes tensions sont apparues à ce propos, Angela Merkel pointant l'échec du modèle multiculturel.

La tentation de l'isolement

Face à des partenaires européens enlisés dans les difficultés économiques, l'Allemagne fait figure de cavalier seul et de bon élève de la classe. Elle engrange les réserves de change, gagne des parts de marché au détriment des autres pays européens et continue à exporter malgré un euro fort, qui en retour l'avantage, lui permettant de se fournir à faible coût en matières premières. Ses prévisions de croissance sont largement supérieures à celles de ses voisins. Depuis le début de la crise, l'Allemagne se porte garante des autres pays européens et de leurs difficultés économiques. Elle a accepté que la Banque centrale européenne rachète des dettes souveraines et de créer un fonds européen pour venir au secours d'un pays membre.

Ces compromis demandent aux Allemands de revenir sur leur attachement à l'orthodoxie budgétaire. Ils imposent de fait à l'Allemagne d'exercer un rôle de leader européen, qui tranche avec l'attitude allemande depuis 1945, marquée par le retrait de la scène internationale et le refus de l'engagement militaire. La question est dès lors de savoir si les Allemands parviendront à assumer ce leadership, contraire à l'Allemagne d'après-guerre, ou s'ils se replieront sur leur îlot national de prospérité. Aujourd'hui, près de la moitié d'entre eux se déclarent favorables à un retrait de la zone euro. La tentation de l'isolement existe bien outre-Rhin, où une partie de la population ne comprend pas pourquoi, après les sacrifices imposés par les réformes des années 2004 et 2005, leur pays devrait prendre en charge les dettes et déficits d'autres pays européens, comme la Grèce.

De plus, un certain nombre de pays européens reprochent à l'Allemagne d'adopter une politique qui pénalise ses voisins. La compression de ses coûts salariaux et la réduction des charges fiscales pesant sur les entreprises, menées en Allemagne ces dernières années, auraient précipité la chute des exportations de la France ou de l'Italie. La réponse à ces critiques insiste sur la vertu du modèle économique allemand, qui a su se réformer pour gagner en compétitivité. Celle-ci n'est pas fondée sur le seul facteur prix, soulignent les Allemands, au risque de ne pouvoir concurrencer les pays émergents ; elle s'appuie sur la qualité de l'innovation et le service aux clients. Ces débats donnent un indice de la distance qui se creuse entre le moteur de la zone euro et le reste des pays membres.

Les partenaires fondamentaux

Les relations entre l'Allemagne et la Chine sont complexes. D'une part, la Chine est le premier client des exportations industrielles allemandes, d'autre part, elle est son premier concurrent, puisqu'elle a adopté le même modèle commercial-industriel tourné vers l'export. Ces relations peuvent pourtant trouver une forme d'équilibre, à condition que l'Allemagne continue à développer son excellence technologique.

La montée en gamme technologique de la production chinoise, son biais pour les exportations, ses progrès scientifiques et technologiques constituent pour l'Allemagne un défi. Pour signer des contrats avec les Chinois dans les domaines où les entreprises allemandes excellent, que ce soit les biens d'équipement ou les infrastructures, les grandes entreprises allemandes sont de plus en plus obligées de transférer des technologies et d'implanter des productions sur le territoire chinois. Par exemple, dans certaines productions comme les trains à grande vitesse, on peut voir, contrat après contrat, le contenu allemand des marchandises destinées au marché chinois se réduire en permanence. Des transferts de technologies de plus en plus importants sont exigés des Allemands, qui créent les conditions de développement de leurs adversaires chinois, lesquels non seulement les concurrenceront sur leur propre marché, mais aussi à l'exportation. Le graphique ci-dessous, qui montre l'avancée chinoise en la matière, illustre bien la situation.

Figure 16
Le secteur mécanique
(milliards de dollars de production)

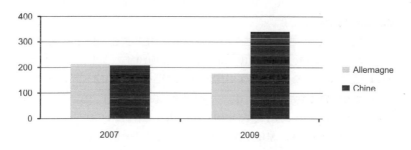

SOURCES : UniCredit et *Financial Times*.

Quelle sera la solution pour les entreprises allemandes ? Il ne leur reste plus, comme les Japonais, qu'à maintenir coûte que coûte leur avance technologique, mais avec le risque de devoir cantonner une partie de leurs exportations au très haut de gamme, et de devoir céder aux Chinois – et peut-être aussi aux Brésiliens et aux Indiens – le milieu de gamme. On voit là l'intérêt pour l'Europe de développer des associations technologiques, en particulier entre firmes françaises et allemandes, afin de partager sur une base plus large les coûts de développement, et de renforcer l'action commerciale vis-à-vis des pays étrangers avec un soutien qui devrait être massif de la part des États français et allemand, ainsi que de la part de la Communauté européenne. C'est le défi fondamental auquel sont confrontés le modèle allemand et ses entreprises, car toutes ces évolutions pourraient se traduire par une réduction de l'emploi industriel allemand, base du consensus syndicat-patronat.

À l'inverse, l'Allemagne est tout à fait capable de développer davantage son marché intérieur. La consommation domestique est faible en Allemagne, comparée aux autres pays occidentaux. Depuis l'instauration de la monnaie unique, elle a progressé trois fois moins vite qu'en France. Et entre la priorité à l'exportation et le marché intérieur apparaîtra sans doute un nouvel équilibre, un peu plus favorable au second.

Les relations avec la Russie, comme on l'a vu, restent privilégiées. Un seul exemple : parmi les 240 000 étudiants étrangers qui poursuivent un cursus en Allemagne, le premier contingent est représenté par des Russes, suivis par les étudiants chinois. Vladimir Poutine était un ami personnel du chancelier Schröder. En poste en Allemagne de l'Est durant plusieurs années, il parle parfaitement l'allemand, alors qu'il ne maîtrise pas la langue anglaise. Les Allemands considèrent les Russes comme européens et poursuivent l'objectif d'arrimer la Russie à l'Europe, ce qui ferait de l'Allemagne le pivot central du continent. L'amitié russo-allemande est fondée sur un accord économique clair : les Russes livrent leur gaz, les Allemands leurs

machines industrielles. Si, par ailleurs, l'Allemagne abandonne l'énergie nucléaire, le choix de la dépendance énergétique envoie un signe fort de la confiance que les
Allemands ont en leur modèle commercial industriel et en
leur capacité à maintenir leur niveau d'exportations industrielles, pour payer des importations accrues d'énergie.

Le Mittelstand

On appelle *Mittelstand* l'ensemble que constitue le tissu
allemand de moyennes et petites entreprises. Il est particulièrement dense, puisqu'il rassemble plus de 70 % de tous
les employés du secteur privé. Ces sociétés de taille intermédiaire ont comme propriété principale d'être tournées
vers l'export. Ainsi, le réseau d'entreprises exportatrices
est très serré de l'autre côté du Rhin : depuis dix ans, leur
nombre a augmenté de 20 % en Allemagne quand il a
baissé de 10 % en France. Le *Mittelstand* assure 40 % des
exportations, lorsque les PME françaises ne réalisent que
17 % des exportations nationales. Seules 5 % des PME
exportent en France, contre 10 % outre-Rhin. Ces entreprises allemandes sont également plus innovantes que leurs
homologues européens et se concentrent sur des produits
manufacturés à haute valeur ajoutée. Elles occupent le plus
souvent des monopoles mondiaux sur des produits très spécialisés, en accord avec leur stratégie de niches. Il arrive
régulièrement qu'elles soient implantées en milieu rural ou
dans des petites villes. Elles privilégient une approche de
long terme, de haute qualité technique et de spécialisation.

Les deux faiblesses du tissu industriel allemand

Leader dans de nombreux domaines comme les turbines,
les machines de découpe, les moteurs…, le tissu industriel

allemand reste extrêmement performant en industrie mécanique. Deux filières stratégiques et d'avenir lui font cependant défaut.

Le premier manque a trait au secteur énergétique. L'Allemagne ne dispose d'aucun champion mondial du pétrole ou du gaz. D'autres pays européens ont su mettre en place de grands acteurs du secteur, comme la France avec Total et GDF-Suez ou la Grande-Bretagne avec BP. Le groupe énergétique allemand E.ON concentre son activité en Europe, est absent des grandes zones de réserves mondiales et se consacre essentiellement à la distribution du gaz. Dans un contexte mondial de compétition accrue entre États pour la conquête des ressources énergétiques, cette absence d'un grand acteur de l'exploitation du gaz et du pétrole place un peu plus l'Allemagne sous la dépendance de pays comme la Russie.

La seconde lacune industrielle allemande est liée aux nouvelles technologies. Malgré l'excellence de son système d'innovation, l'Allemagne n'est pas parvenue à mettre sur pied des entreprises phares de haute technologie. À l'exception de SAP, l'économie allemande reste tournée vers les secteurs industriels traditionnels.

En fin de compte, le véritable défi allemand est de savoir comment utiliser son leadership européen. Par nature, dans la compétition mondiale, l'Allemagne est un acteur de trop faible poids, comparée à la Chine et aux États-Unis. Elle ne peut se passer par conséquent de l'Europe et céder à la tentation de l'isolement. Mais, depuis 1945, l'Allemagne ne sait pas parler d'une voix forte sur la scène internationale. La société allemande dans son ensemble est extrêmement rétive à toute intervention militaire, même sous les bannières de l'OTAN ou des Nations unies. Son seul moyen d'exercer son leadership européen est de jouer de ses qualités de science du compromis et d'esprit de solidarité. C'est d'ailleurs ce qu'elle a commencé à mettre en œuvre en assurant de son soutien les pays en difficulté, en protégeant la monnaie unique et en réaffirmant sa confiance en l'axe franco-allemand.

Une Europe sous leadership allemand ressemblerait à la Suisse actuelle. Elle serait ouverte et pacifique. La composante régionale y serait forte, comme en Suisse avec le rôle important des cantons. Mais elle serait dominée par l'Allemagne, comme la Suisse est dominée par la Suisse allemande.

Le but de cette partie a été de rendre compte de l'évolution des grandes zones économiques. La description des différents pays était nécessaire pour mettre en perspective les trajectoires française et européenne.

Les implications pour la France et l'Europe vont maintenant faire l'objet de la troisième partie.

L'IMPÉRIEUSE NÉCESSITÉ DE CHOISIR ET D'AGIR : UN NOUVEAU PROJET POUR LA FRANCE ET L'EUROPE

La crise a accentué les divergences économiques entre les pays. Elle a mis à mal l'équilibre de nos modèles économiques et sociaux. La France et l'Europe font face maintenant à des choix cruciaux. Le but de cette troisième partie est de présenter des politiques à même de choisir le modèle économique et social français et européen. La libéralisation financière n'est pas la solution aux problèmes. Il faut redéfinir un État stratège et un avenir européen construit sur de nouvelles bases.

Chapitre 14

La France

Les mutations du modèle français

La France n'a pas été encore évoquée à dessein. C'est un cas à part. Alors que chacun des pays qui viennent d'être décrits s'est tenu à un modèle particulier, la France a comme singularité d'avoir changé de modèle au cours de ces soixante dernières années. On peut résumer cette trajectoire de la manière suivante : d'abord un modèle autocentré de reconstruction durant la IVe République ; puis un modèle commercial-industriel fondé sur une impulsion de l'État, du général de Gaulle à Valéry Giscard d'Estaing (succès de l'énergie, du nucléaire et de l'aérospatial) ; ensuite l'adoption d'une politique libérale financière dans les années 1980 sous François Mitterrand et Pierre Bérégovoy ; enfin un entre-deux actuel, hybride mais essentiellement libéral-financier, conduisant à des interrogations, un malaise et une faible confiance des Français, inquiets et pessimistes, dans la capacité de leur pays à s'adapter à la mondialisation de l'économie.

Il existe donc une inconstance française, qui tranche avec la continuité de pays comme l'Allemagne ou le Japon, axés sur un modèle commercial-industriel, ou comme la Grande-Bretagne et les États-Unis, répondant à un modèle libéral-financier. C'est cette indécision qui mérite réflexion.

229

1945-1958 : un modèle autocentré

L'effort d'adaptation de la France au monde moderne s'est opéré à partir de la reconstruction sous la IVᵉ République. Cette période est dominée par un modèle nettement dirigiste et autocentré, rendu nécessaire par l'urgence de la situation d'après-guerre. En 1945, l'ampleur des besoins appelle à une initiative publique forte, rendue d'autant plus acceptable que la crise des années 1930, le régime de Vichy et les programmes de la Résistance ont multiplié les interventions de l'État. Tout un courant issu de la Résistance se prononce pour une économie mixte faite de nationalisations, de contrôle du crédit et de planification. Le dirigisme administratif qui prévaut alors dispose de moyens puissants, comme dans le secteur bancaire, totalement réorganisé et placé sous la tutelle d'un Conseil national du crédit. Les banques de dépôt sont strictement séparées des banques d'affaires et sont nationalisées. Les principaux groupes d'assurance et la Banque de France passent également sous la coupe de l'État. En nationalisant ainsi le secteur bancaire, le secteur énergétique et celui des transports, l'État s'assure des moyens pour mener une politique industrielle de reconstruction et de modernisation.

Autre volet de cette politique dirigiste : la planification. Elle est incarnée par le Commissariat au plan, créé par Jean Monnet. Les chantiers sont énormes : il faut reconstruire et développer les infrastructures, le parc immobilier pour faire face à la crise du logement, et répondre à la demande de biens de consommation. L'État distribue le crédit et opère l'essentiel des investissements. La planification s'adapte aux besoins de l'économie et de la société françaises. Le deuxième plan, lancé en 1954, met l'accent sur les industries de consommation, l'agriculture et le logement, toujours en situation de pénurie. Il s'agit aussi d'accroître les performances de l'appareil productif, mission confiée à un Commissariat à la productivité.

Le contexte mondial, l'aide américaine, la baisse de l'inflation, le rapide redressement de l'économie française sous la conduite de l'État contribuent à des années de forte croissance. Toute une série d'administrations nouvelles sont créées pour accompagner cette modernisation économique. La Direction de l'aménagement du territoire voit le jour pour équilibrer le poids économique des régions françaises. Ces organismes qui pilotent la croissance sont dirigés par une nouvelle génération de fonctionnaires formés à la récente École nationale d'administration et à l'École polytechnique. L'État y gagne un nouveau rôle : celui de garant et d'arbitre social – création du salaire minimum, de la Sécurité sociale – et d'architecte de l'expansion planifiée.

1958-1983 : le modèle commercial-industriel

Activement défendu et instauré par le général de Gaulle et Georges Pompidou, le modèle commercial-industriel fut maintenu sous la présidence de Valéry Giscard d'Estaing, même s'il connut alors un net infléchissement libéral à l'époque de Raymond Barre, Premier ministre. Pendant toutes ces années, ce modèle eut une empreinte nationale forte et favorisa une réelle implication de l'État.

Au cours de la même période, le capitalisme français correspond largement à un modèle à priorité industrielle, encadré par l'État. L'activité industrielle se caractérise par une sorte de dualité entre des secteurs privilégiés, impulsés et soutenus par les pouvoirs publics, et des secteurs délégués au privé car considérés comme non essentiels. Sous l'action de l'État, certains secteurs stratégiques connaissent un développement important. Le premier d'entre eux est le secteur énergétique, avec une politique pétrolière et gazière incarnée par Elf, une politique nucléaire portée par le CEA (Commissariat à l'énergie atomique), la Cogéma, sa filiale industrielle, et EDF. Il faut rappeler que le programme nucléaire français a été le plus ambitieux du monde, et qu'il a été particulièrement réussi, tant au regard de ses coûts que de sa sécurité. Avec lui s'est constitué tout un secteur industriel que symbolisent aujourd'hui Areva et EDF.

En outre, à la même époque, ont été lancés de grands programmes dans plusieurs domaines : l'aéronautique avec Airbus, né à la fois des succès et de l'échec du *Concorde*, avec une belle position mondiale face à Boeing, l'espace avec Ariane – dont la part de marché des satellites peut apparaître comme un miracle face à la puissance américaine de la NASA –, les moteurs d'avion avec la SNECMA, devenue le groupe Safran, ou encore les transports ferroviaires dynamisés par le programme national du TGV.

Les entreprises nées de ces programmes ambitieux sont vite devenues des fleurons de l'industrie française ainsi que le moteur des exportations nationales. Au fil du temps, en tant que stratégie d'État, cette ambition industrielle a fini par décliner, mais elle fut l'une des principales avancées de l'époque et constitue encore aujourd'hui un des avantages compétitifs de notre pays, même si la capacité concurrentielle des entreprises concernées commence à s'affaiblir sous la poussée de la concurrence internationale. Au départ, l'activité de ces entreprises ne tenait qu'à des contrats passés par l'État, et leur compétitivité s'est donc construite dans la durée et a été portée par une grande ambition nationale. Aucun système libéral n'aurait pu réussir à créer ces entreprises qui restent encore aujourd'hui un élément essentiel du dispositif français au sein de la mondialisation.

À l'inverse, tout un pan de l'industrie française est resté dans un secteur privé livré à lui-même, qui a accumulé un retard certain en matière de productivité, voire de technologie. Les raisons en sont diverses. Les actionnaires n'ont pas joué leur rôle dans le choix de stratégies industrielles, et les deux grandes puissances financières de l'époque, Suez et Paribas, n'ont pas su exercer en temps utile les pressions suffisantes pour effectuer les regroupements et modernisations nécessaires, dans des secteurs comme la sidérurgie et la chimie. Il a fallu attendre les nationalisations de 1981 pour voir l'État jouer un rôle indispensable, permettant la restructuration des entreprises françaises de ces secteurs, le redressement de leurs résultats financiers, puis leur privatisation à partir de 1986.

De son côté, le système d'innovation s'est caractérisé par une forte intervention de l'État, qui soutient activement le CNRS comme entité de recherche fondamentale, et le CEA comme entité de recherche appliquée. De plus, l'innovation dans les entreprises est encouragée par des aides d'État accordées par la Direction générale de la recherche scientifique et technique (DGRST) du ministère de l'Industrie.

Durant cette période, le marché du travail français relève d'un système dit fordiste, qui restitue une partie significative des gains de productivité aux salariés par une croissance notable des salaires à tous les échelons, en raison d'une forte centralisation des négociations salariales sous le regard de l'État. Cette augmentation des salaires s'accompagne d'une faible mobilité des employés, mais leur assure un meilleur pouvoir d'achat, lequel entraîne à son tour une forte croissance de la consommation.

Cette logique sera brisée par la crise pétrolière de 1974. Un nouveau mode d'action est alors mis en place en 1982 par Jacques Delors, qui adopte la stratégie de la désinflation compétitive. Inspirée par l'Allemagne, cette politique vise à accroître la compétitivité des entreprises françaises et à rétablir en faveur du capital le partage de la valeur ajoutée, sévèrement mis à mal dans la période 1974-1982. Ce rétablissement aura bien lieu, mais au prix de sacrifices : le pouvoir d'achat des salariés en pâtira sensiblement. Les réductions d'effectifs seront nécessaires dans de nombreux secteurs, de l'ordre de 30 %, mais accompagnées de départs en retraite qui rétablissent la compétitivité du monde de l'entreprise. Le chômage augmente mais sa croissance est limitée par des mises en retraite massives et une croissance convenable des emplois de service, répondant à l'évolution de la consommation des Français dans ce domaine. Parallèlement, le gouvernement socialiste modifie le marché du travail, avec la création de contrats plus souples et à durée déterminée. Ainsi, cette politique, conduite pour l'essentiel par des gouvernements socialistes et poursuivie encore aujourd'hui, assure une bonne protection des salariés des grandes entreprises, mais favorise beaucoup moins les jeunes entrant sur le marché du travail, les salariés des PME et les chômeurs.

Des années 1990 à nos jours :
la transition vers le modèle libéral-financier

La transition qu'a connue la France dans les années 1990 a une origine : la montée de la dette publique, elle-même due à l'accumulation des déficits budgétaires initiée à partir de 1981. Pour se rendre attractive aux investisseurs internationaux et les inciter à souscrire aux obligations de l'État, la France a été obligée d'envoyer des signaux forts aux investisseurs institutionnels, principalement anglo-saxons. Il fallait qu'ils perçoivent Paris comme une place accueillante, adhérant aux principes du régime libéral-financier.

Ce tournant a pour l'essentiel été négocié au cours de la présence de Pierre Bérégovoy au ministère des Finances, et avec l'influence et le talent de son directeur de cabinet qui fit ensuite une brillante carrière d'entrepreneur privé, Jean-Charles Naouri, futur patron du groupe de distribution Casino.

Cette politique, dont on peut juger paradoxal qu'elle ait été impulsée sous la présidence socialiste de François Mitterrand, a été fidèlement poursuivie par les gouvernements de droite comme de gauche sous les présidences de Jacques Chirac et de Nicolas Sarkozy.

Cette transition vers le modèle libéral-financier fut portée avec conviction, voire enthousiasme, par le ministère des Finances, sa direction du Trésor et ses hauts fonctionnaires, particulièrement ceux de l'Inspection des finances, qui voyaient là une façon de moderniser la France. Elle a profondément marqué les réglementations nationales, y compris les plus récentes, dans le domaine boursier, et inspiré les doctrines qui orientent les jurisprudences et les réglementations de la COB et aujourd'hui de l'AMF, c'est-à-dire des régulateurs des marchés financiers. Elle a aussi fait évoluer le droit des sociétés et le droit de la concurrence, ainsi que les actions des autorités régulatrices comme le Conseil de la concurrence.

Ce mouvement fut particulièrement soutenu par les grandes institutions financières françaises : les compagnies d'assurance et les banques. Cette ouverture aux mouvements de capitaux internationaux s'est accompagnée d'un alignement du comportement des gestionnaires de l'épargne française, en premier lieu les SICAV de placement d'actions, sur les idéologies et les attitudes élaborées à Wall Street et plus encore à Londres.

Les gestionnaires d'épargne, c'est-à-dire les patrons des SICAV, votent peu ou prou selon les consignes données par des agences anglo-saxonnes ou les relais français qui en appliquent les principes. Des agences de gouvernance, telles que Riskmetrics, indiquent aux gestionnaires d'épargne comment voter, mais aussi quels codes de conduite adopter. Ces règles de conduite sont précisées par l'Association française des gestionnaires financiers, qui va même parfois plus loin dans l'application des principes anglosaxons qu'un organisme comme Riskmetrics. Il n'y a donc pas dans ce domaine de spécificité française, mais un alignement sur les convictions et, plus dangereusement, les intérêts de la City de Londres.

D'une façon générale, on a observé en France un rapprochement entre les bureaux d'analyse financière et les fonds spéculatifs (*hedge funds*), dont l'activité est vivement soutenue par la mise en œuvre du modèle libéral-financier. Les bureaux d'analyse sont essentiellement financés par les revenus d'opérations de courtage effectuées pour le compte des investisseurs ; or les fonds spéculatifs portent une part croissante des transactions sur les actions. Il est donc naturel qu'une telle proximité ait entraîné un glissement dans l'attitude des bureaux d'analyse. Des réflexions approfondies sur les entreprises, ils sont passés à une vision beaucoup plus court-termiste, en accord avec l'horizon de temps des fonds spéculatifs comme de celui des actionnaires activistes.

Sous ces influences, un profond changement de la gouvernance s'est progressivement mis en place dans les grandes entreprises françaises cotées, en particulier celles du CAC 40, sous la double pression des investisseurs institutionnels français et étrangers.

Cette mutation a eu des conséquences stratégiques importantes. La mise en place en France du modèle libéral-financier a conduit à la remise en question des groupes diversifiés, à qui l'on a demandé de s'éclater en groupes monométiers, lesquels ont la préférence des investisseurs anglo-saxons.

Or ce choix peut se révéler périlleux. À titre d'exemple, l'éparpillement de la Compagnie générale d'électricité (CGE) en plusieurs groupes (Alcatel, Alstom, Nexans, etc.) contraste avec le maintien en Allemagne d'un groupe solide et diversifié comme Siemens, concurrent traditionnel de la CGE. En effet, cette critique d'un groupe diversifié est complètement différente de la vision d'outre-Rhin, qui favorise les groupes dont les activités ne sont pas soumises aux mêmes cycles économiques. L'Allemagne souhaite associer la puissance financière à la taille de l'entreprise, que seul un ensemble diversifié de bonne dimension permet d'atteindre. Il en est de même au Japon, où le mode principal de développement de l'innovation industrielle dans les nouveaux secteurs est conduit par des groupes diversifiés, qui utilisent l'autofinancement de secteurs plus mûrs pour assurer le développement parfois long et aléatoire des secteurs d'avenir.

C'est également une vision assez semblable qui a conduit à la vente de la Compagnie générale de radiologie du groupe Thomson au groupe General Electrics dont la synergie avec Thomson apparaissait insuffisante, y compris au gouvernement socialiste, actionnaire de Thomson à l'époque. Dans ce domaine si important des appareils médicaux, la France ne dispose plus d'une seule entreprise de premier rang mondial, alors que le conglomérat Siemens a renforcé encore récemment son secteur médical, bien qu'il soit d'une nature différente de ses autres activités électromécaniques. C'est pourquoi la diversification des activités au sein d'un même groupe est considérée, dans le modèle commercial-industriel, comme un avantage et leur éclatement comme une perte.

Cette période a également correspondu à la fin des participations croisées entre les grandes entreprises françaises.

Cette stratégie, qui ne correspondait pas au canon de la gouvernance anglo-saxonne, a été écartée. Elle avait cependant permis à des groupes français de maintenir leur indépendance en des périodes où ils étaient vulnérables, et en particulier de mener des stratégies de développement international qui nécessitaient au départ une rentabilité différée. D'ailleurs, ces soutiens se sont ensuite révélés payants : la vente des actions détenues par chaque entreprise chez ses confrères s'est très souvent traduite par un gain substantiel, comme ça a été le cas pour Saint-Gobain. Lié à une très forte augmentation des cours de Bourse, ce gain résultait de la stratégie gagnante menée par les grands groupes français lors de la période des participations croisées, qui a marqué un moment décisif pour les entreprises françaises lors de leur adaptation à la mondialisation.

Dans le même temps, le mouvement vers l'association des travailleurs à la gouvernance de l'entreprise a été interrompu. Le rapprochement avec le système de la cogestion qu'avait lancé le général de Gaulle après 1968, avec la notion de participation, est stoppé. Il laisse la place à une gouvernance de l'entreprise visant la primauté de l'actionnaire. Se développe alors le système des stock-options qui vient influencer l'action des dirigeants d'entreprise en alignant leurs intérêts sur ceux des actionnaires.

Les entreprises qui ont su prospérer sous le modèle libéral-financier sont d'abord celles qui disposent de métiers régionaux, c'est-à-dire qui se développent essentiellement sur des territoires étrangers pour répondre à une demande internationale. On le constate pour des entreprises comme Saint-Gobain, Lafarge, Carrefour, Air liquide, Vinci, Veolia Environnement ou Suez Environnement. De même, les banques françaises comme la BNP avec le développement en Italie et en Belgique (Fortis) et le Crédit Agricole, leaders en France, s'illustrent principalement par leur métier régional, c'est-à-dire leurs banques de détail.

En revanche, ce modèle libéral n'a pas été propice au développement fort des entreprises françaises qui contribuent à l'équilibre du commerce extérieur. On a ainsi vu au cours de ces dernières années les échecs puis la régression de groupes tels que Alstom, Alcatel, Thomson, sans parler de la liquidation de Creusot-Loire, et de tout un pan du secteur des biens d'équipement français qui a totalement disparu. À l'inverse, on peut mesurer l'essor de ce secteur en Allemagne, tant dans les entreprises de taille moyenne que dans les grandes entreprises.

Le régime du modèle libéral-financier a favorisé en France une déconnexion croissante entre les intérêts du pays tels qu'ils sont incarnés par les entreprises des métiers mondiaux, et les entreprises leaders françaises centrées sur des métiers régionaux, entreprises qui se développent très bien, mais principalement à l'étranger.

Cette scission, profonde, est alarmante. Elle se traduit par une séparation de la France industrielle en deux secteurs : l'un multirégional et prospère, l'autre exportateur et en difficulté de compétitivité. C'est là une anomalie de l'évolution économique française, à laquelle le fonctionnement du marché qu'incarne le modèle libéral-financier n'a pas apporté de solution. Le déficit croissant du commerce extérieur français en est une manifestation majeure. L'affaiblissement de son secteur automobile et de ses sous-traitants par rapport à leur prospérité en Allemagne peut aussi être décrit comme un exemple caractéristique des effets négatifs du modèle libéral-financier.

C'est bien l'acceptation de la primauté de l'actionnaire qui est à l'origine de la désindustrialisation française. L'exemple de l'Allemagne montre les effets lourds et bénéfiques du choix inverse sur la croissance et sur les citoyens.

Le primat de la politique de la concurrence

Une autre caractéristique de cette évolution a été la montée en puissance de la politique de la concurrence. Une même conviction anime aujourd'hui la gauche et la droite : les efforts de l'État doivent se concentrer sur la protection du consommateur. D'où le développement d'une politique écologique, prioritaire et vigoureuse, en particulier vis-à-vis des entreprises. Dans la lutte contre l'accroissement du CO_2, les principales mesures prises jusqu'à récemment ont concerné la réduction des émissions des industriels et bien moins les économies qu'on pourrait réaliser en améliorant l'isolation thermique des bâtiments anciens lors de leur rénovation, même si ces travaux seraient finalement beaucoup plus efficaces et rentables.

Un fort consensus politique se dégage pour approuver une concurrence vive, libre et non faussée. Dans ce cadre, la priorité ne peut être donnée au dynamisme industriel. L'intervention économique de l'État est donc restée résiduelle : il se borne à intervenir en cas de défaillance des marchés, ce qui est du reste cohérent avec la doctrine européenne de contrôle de la concurrence. Cette situation a néanmoins une conséquence majeure : la désindustrialisation de la France, la dégradation de son commerce extérieur, autrement dit son extrême difficulté à s'insérer de façon moderne dans la nouvelle donne de la compétition internationale.

La France est aujourd'hui caractérisée par une structure industrielle affaiblie et en voie de dégradation, alors même qu'une des premières conséquences de la crise est l'intensification de la concurrence internationale et des délocalisations. On ne compte plus les entreprises internationales qui ferment leurs sites de production français pour ouvrir des sites à plus bas coût, soit en Europe de l'Est, soit en Asie, avec toutes les répercussions que ces mouvements entraînent sur la perte des emplois industriels qualifiés et la possibilité de développer les exportations.

Par ailleurs, les charges portées par les entreprises pour l'amélioration de l'environnement ou la protection du consommateur, comme celles relevant de diverses lois sociales, ont considérablement augmenté les coûts. Ces éléments, ainsi que la politique poursuivie quant au pouvoir d'achat, ont sérieusement dégradé la compétitivité des entreprises françaises, et en particulier celle des sociétés tournées vers l'exportation, ce qui explique la dégradation de la balance commerciale (cf. graphique). La politique de cohérence nationale telle qu'elle a été menée en Allemagne a obtenu de bien meilleurs résultats.

Figure 17
Solde commerce extérieur

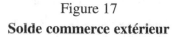

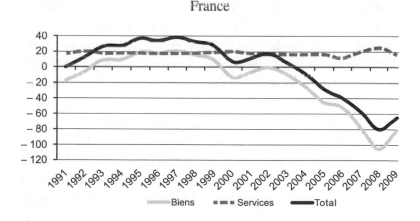

Source : OMC.

241

Dans un groupe industriel comme Saint-Gobain, il y a quelques années seulement, les salaires dans les usines françaises étaient environ 10 % inférieurs à leurs équivalents allemands, alors qu'ils sont aujourd'hui supérieurs de 5 %. Autrement dit, sur le seul plan des coûts salariaux, la perte de compétitivité a pu atteindre jusqu'à 15 %. On a donc l'impression que, sur le plan politique, et de façon durable, préférence a été donnée au Français consommateur, sans voir qu'il était en même temps un Français producteur, lequel, s'il ne perdait pas son travail, ne voyait toujours pas se créer davantage d'emplois à haute valeur ajoutée et exportateurs.

Certes, l'emploi français s'est à peu près maintenu, mais essentiellement grâce au développement des services. Ceux-ci pouvaient parfois présenter une haute valeur ajoutée mais, dans la majorité des cas, les emplois concernés n'étaient guère qualifiés : le développement principal a porté sur les services à la personne, le développement de la distribution, etc. Il faut noter par ailleurs que la baisse du chômage en France est en partie liée à une politique des retraites qui, si on la compare aux pratiques internationales, fixe très tôt l'âge de celle-ci. On a donc assisté à l'arrivée massive de retraités dont le niveau de vie, toujours vu de l'étranger, semblait plutôt satisfaisant pour les intéressés. Ce niveau de vie est globalement supporté par des contributions demandées à ceux et celles qui restent en activité. C'est ce qu'on appelle le système par répartition.

Plus largement, c'est la question de la croissance économique de la France qui se pose. Ces dernières années, cette croissance a été relativement faible. En partie à cause de la baisse de la croissance dans le domaine industriel, conséquence de la mauvaise insertion de la France dans la concurrence internationale. Sa faiblesse est également due à son incapacité à développer, dans ce contexte, suffisamment de productions technologiques à haute valeur ajoutée et donc assez d'emplois qualifiés. D'autre part, dans le domaine des services, si bien développé au cours de la même période, il y a désormais lieu de s'inquiéter du niveau de vie de ceux qui y font appel. Car si la France évolue après la crise vers une distribution plus faible des revenus, elle aura de la peine à continuer à développer ses emplois de services.

L'importance des choix publics

Pour résumer, ce changement de modèle fut d'abord et avant tout le fruit d'un présupposé : on croyait que les seules forces du marché allaient contribuer à améliorer la spécialisation industrielle française. La réalité montre qu'il n'en a rien été.

De plus, le rôle de l'État est brutalement passé d'un extrême à l'autre. À un État puissant, qui jouait un rôle décisif dans le développement de nouvelles entreprises exportatrices, s'est substitué un État passif, voire inerte. Ce dernier a comme abandonné les rênes au marché financier, devenu seul maître et juge de l'intérêt économique des orientations industrielles de la France. Ainsi, dans la gouvernance des entreprises, rien n'a été fait pour soutenir les actionnaires porteurs d'une vision industrielle à long terme.

Alors même qu'il existe au Japon, en Chine, en Corée ou en Allemagne des organismes publics en charge d'une réflexion sur les stratégies technologiques et industrielles à long terme, en France, le soutien des programmes industriels ambitieux est très mal vu par le ministère de l'Économie et des Finances ; il a par exemple été mis fin immédiatement sous la présidence de Nicolas Sarkozy à l'Agence de l'innovation industrielle créée à l'initiative de Jacques Chirac.

Redéfinir un État stratège, qui ne se substitue pas aux mécanismes des entreprises, tel est le défi à relever.

Le choix de l'art de vivre

Aujourd'hui, le problème de la France est double : elle doit faire un choix quant à son modèle de développement libéral-financier ou commercial-industriel, et quant à son rapport au travail. Si on la compare aux pays étrangers, la France se caractérise par la priorité accordée à un certain art de vivre. Cet art de vivre à la française n'est pas réservé à une élite mais il se retrouve, sous des formes plus ou moins diverses, à tous les niveaux de la société française et sur l'ensemble du territoire. C'est pour la France un atout essentiel.

Cet art de vivre prend trois formes majeures, qui portent essentiellement sur le patrimoine naturel, le patrimoine culturel et le patrimoine gastronomique de la France. Mais cette douceur de vivre à la française présente une contradiction : la situation économique et l'état de la dette ne rendent plus compatibles le niveau de vie des Français et leur mode de vie. La solution passe dès lors par une prise de conscience et une réaction économique qui demande, d'une part, un renouveau industriel et, d'autre part, une utilisation optimale des atouts de l'art de vivre français : tourisme, cosmétique, luxe, produits alimentaires haut de gamme, notamment le vin…

On peut tenter de cerner cette particularité française de l'art de vivre de différentes façons. D'abord en mettant en avant la conscience écologique des Français et les décisions qui ont été prises pour préserver un environnement naturel de meilleure qualité que chez nos voisins : il suffit de comparer les côtes françaises et celles d'Espagne ou d'Italie et le travail accompli par le Conservatoire national du littoral dans ce domaine. Personne ne souhaite, à juste titre, revenir sur ce type d'acquis.

Il est ensuite possible de rappeler la part des dépenses publiques destinée à promouvoir une offre culturelle extrêmement active, forte et diversifiée, tant en province, où l'on ne compte plus les initiatives des collectivités locales pour organiser des spectacles et des manifestations en tout genre, que dans la capitale. Si Paris est en train d'abandonner son statut de véritable centre de la création contemporaine, le relais étant pris après New York par la Chine, la capitale est en train d'affirmer avec grand succès sa vocation de ville-musée, sorte de Venise plus vaste et plus moderne du XXIe siècle. En France, non seulement le budget de la culture est important, mais il faut aussi y ajouter les budgets des municipalités destinés à entretenir les bâtiments, les rénover, les ravaler, beaucoup plus qu'on ne le fait dans les pays voisins. C'est là un atout touristique essentiel de notre pays, même s'il est très insuffisamment mis en valeur sur le plan économique.

L'art de vivre a également d'autres dimensions : l'importance des arts de la table, celle de la gastronomie, ou celle accordée à des loisirs qui font appel à la nature, à l'initiative des citoyens et à bien d'autres éléments.

Le choix de l'art de vivre est intrinsèquement lié à la possibilité de disposer d'un temps suffisant. Il suffit de comparer le temps qu'un Français consacre à ses loisirs, et le temps qu'un Chinois consacre aux siens, par rapport au temps de travail de l'un et de l'autre, pour s'en faire une première idée. La comparaison avec un Américain serait aussi significative.

On objectera que c'est là le bénéfice d'un meilleur niveau de vie, lequel a permis aux Français de faire ce choix. Mais c'est justement là que le bât blesse, dans la croyance illusoire que la France peut encore maintenir ce choix tout en conservant le même niveau de vie. Le principal problème de la France au sortir de la crise sera de résoudre la contradiction entre le mode de vie que souhaitent les Français et la possibilité de le financer au même niveau qu'aujourd'hui. Il faudra bien que chaque Français arbitre entre son mode de vie et son niveau de vie.

Une partie de nos concitoyens a déjà procédé à cet arbitrage, préférant disposer de revenus moindres et avoir du temps pour profiter de la nature, faire du sport, avoir des activités culturelles… On retrouve ici une autre spécificité marquante du paysage français : la taille et la qualité du service public. On observe corrélativement un nombre anormalement élevé, si on le rapporte aux chiffres des pays étrangers, de fonctionnaires. Qu'il s'agisse des agents de l'État ou de l'impressionnant essor du nombre des fonctionnaires locaux qu'a entraîné la régionalisation, ce choix résulte bien évidemment de cet arbitrage.

Le taux, considérable en France, de citoyens ne participant pas directement à la vie économique active, que ce soit dans le domaine des biens ou dans celui des services, joue évidemment un rôle essentiel dans le déséquilibre entre le désir des Français de maintenir leur arbitrage, et les moyens de financer ce dernier. Jusqu'à présent, pour résoudre cette contradiction, on a simplement laissé monter le taux de l'endettement. Dans le domaine politique, l'endettement sanctionne cette curieuse façon française de ne pas prendre de décision et d'en faire supporter les conséquences par les générations suivantes. Qu'il s'agisse de gouvernements de droite ou de gauche, tous ont régulièrement laissé croître l'endettement de façon considérable, celui de l'État, des organismes sociaux de santé et de retraites, comme celui désormais très important des collectivités locales, et son poids global dans la production nationale brute.

L'une des conséquences de l'après-crise est qu'alors que, dans le domaine économique et en particulier industriel, la concurrence va encore se renforcer, la France atteint sa limite d'endettement. Par conséquent, elle ne pourra plus continuer, comme elle l'a fait depuis trente ans, à ne pas choisir et à ne pas accepter les réalités.

Jusqu'où veut-on privilégier l'art de vivre ? Ou au contraire quelle place veut-on finalement redonner à une certaine priorité au travail, tout spécialement celui qui peut être rétribué par des exportations ? On a vu que cela impliquait la croissance d'une production industrielle moderne, dans le cadre d'une concurrence internationale accrue. Dans le cas d'une industrie gagnant des devises, d'une industrie exportant des biens, et dans le cas du tourisme qui gagne aussi des devises, il s'agit au contraire de faire payer les revenus des Français par des acteurs étrangers, et cette nécessité est bien trop négligée en France.

Ce type de question est rarement posé aux Français, alors même que l'évolution économique et l'état de l'endettement public exigent des réponses de plus en plus urgentes. Et rien n'a été dit des politiques forcément douloureuses qu'il faudra mener demain pour réduire le niveau d'endettement du pays. La conscience est faible, en France, de ce qui se joue dans le domaine industriel. Les Français jugent avec désarroi, et parfois colère, la fermeture sur le territoire d'unités de production transférées à l'étranger. Mais ils ne savent rien ou presque de la façon dont les autres travaillent, pour des salaires qui n'ont rien à voir avec les leurs. À l'inverse, ils profitent bien volontiers des produits bon marché fabriqués à l'étranger, que ce soit des vêtements, des ordinateurs ou des téléphones de haute technologie, sans vraiment savoir qu'il n'existe plus de tissu industriel français capable de les produire.

En réalité, on ne peut pas rester longtemps un consommateur heureux sans participer d'une manière ou d'une autre à la production de revenus provenant de l'étranger et susceptibles de compenser ce qu'on lui achète. Mais cette idée simple semble absente des débats en France, où les hommes politiques évitent soigneusement tout rappel aux réalités induites par un tel déséquilibre.

Les conséquences de ce choix de l'art de vivre français sont doubles. D'une part, les évolutions, en particulier du rôle de l'actionnaire, sont allées à l'encontre des intérêts industriels nationaux, limitant le développement possible de la production industrielle sur le sol national. La France n'est pas parvenue à créer la production technologique à haute valeur ajoutée à même de développer un emploi qualifié et rémunéré par l'étranger. D'autre part, le choix de l'art de vivre a poussé la population française à travailler moins, à protéger son mode de vie et à disposer de divers services financés par les municipalités et les collectivités locales, sans que les Français aient vraiment compris que l'ensemble de ces choix, qu'on leur a de plus souvent présentés comme des « droits », avaient un coût.

Pour financer son attachement à l'art de vivre, la France doit mieux identifier ces atouts et les valoriser. Quelles que soient les politiques qui seront menées, elles devront donc intégrer la prise de conscience des avantages compétitifs réels que possède le pays dans la compétition internationale. On peut pour l'essentiel citer quatre secteurs :

• Les retombées industrielles des efforts faits à l'époque où la France avait un modèle industriel et commercial. Il s'agit principalement du nucléaire avec

Areva, des transports avec Airbus et du spatial avec Arianespace. Tout doit être fait pour maintenir et soutenir leur compétitivité au plan international.

• Le deuxième atout de la France est son secteur du luxe et de la cosmétique, incarné par des entreprises phares comme LVMH et L'Oréal. Là encore, il faudrait veiller à ce qu'il ne s'agisse pas simplement du logiciel du luxe, c'est-à-dire des effets de marque, de créativité et de design, mais aussi de faciliter le maximum de production à partir du territoire français.

• Le troisième atout est l'industrie agroalimentaire française, non seulement des entreprises phares comme Danone, mais aussi des secteurs très largement exportateurs, comme le secteur viticole ou avicole.

• Le quatrième atout, et peut-être le plus important pour gagner des devises dans l'avenir, est le tourisme, qui doit être développé d'un point de vue commercial de façon nouvelle, en particulier vis-à-vis de la clientèle considérable que représentent les riches asiatiques, notamment chinois et indiens, dont le nombre ne peut que s'accroître considérablement dans l'avenir.

L'ensemble des trois derniers secteurs relève, pour l'essentiel, de ce que l'on a appelé l'art de vivre, c'est-à-dire l'avantage compétitif de la France compte tenu de son évolution. Il s'agit maintenant de tirer parti au maximum du gain de devises, que peut générer ce choix essentiel pour notre pays.

Quatre avenirs possibles

Une fois décrites ces réalités, quelles sont les options françaises ? Il existe d'abord deux scénarios extrêmes, résultant de deux choix politiques tranchés et opposés.

Restent ensuite deux autres voies possibles : celle de la gestion du déclin et celle d'un nouveau pacte national.

Deux scénarios extrêmes

Le premier scénario incarnerait l'adoption de l'orthodoxie libérale dure. Il se situerait dans la droite ligne des principes initiaux du programme présidentiel de Nicolas Sarkozy, ou dans les demandes répétées du MEDEF. Proche des valeurs défendues dans le modèle libéral-financier en Grande-Bretagne, il représente l'opinion de ceux qui adhèrent à une vision du développement économique donnant la priorité à une diminution drastique sur le plan réglementaire des contraintes et disciplines pesant à la fois sur les entreprises et sur les individus qui animent la France du travail.

Dans ce scénario, les réformes devraient être orientées vers la réduction de la protection sociale, la diminution des coûts liés à la défense de l'environnement, les aménagements fiscaux en faveur des revenus de ceux qui sont en situation de production, la diminution considérable du nombre des fonctionnaires, tant de l'État que des collectivités locales, la modération des salaires et la large privatisation du financement de la santé sur le modèle américain.

Une thèse somme toute bien connue, qui se heurte évidemment à de vives réticences, soit par l'expression du droit de vote des citoyens, soit par des manifestations de ceux qui adhèrent à la fois à la priorité accordée à l'art de vivre et à des inégalités socialement acceptables, et ne sont pas prêts à revenir sur une fiscalité redistributive ni sur les acquis sociaux. Dans la situation économique et politique actuelle du pays, une telle voie apparaît ni probable ni souhaitable.

Le deuxième scénario pourrait être qualifié de dirigisme teinté de baba-coolisme dur et interventionniste. Ce modèle chercherait à maintenir et même à développer les contraintes pesant sur les entreprises, tant sur le plan social que sur le plan environnemental, mais aussi à améliorer le niveau de vie des classes sociales défavorisées en augmentant considérablement les impôts sur les populations dites riches, mais sans pouvoir épargner les classes moyennes, ce qui n'est pas exposé de façon explicite. C'est le programme développé par un imprécateur talentueux comme Jean-Luc Mélenchon. On peut également en trouver un symbole dans la politique menée par Denis Baupin, longtemps l'adjoint vert de la Ville de Paris chargé de la voirie, quand il a mis en place sous la houlette de Bertrand Delanoë, de façon brutale, de grands couloirs protégés pour les bus et les bicyclettes de la capitale. Les automobilistes peuvent depuis contempler, au milieu de leurs embouteillages, ces larges bandes inoccupées. On discerne alors dans leur regard la même résignation que celle des citoyens soviétiques contraints au système de « la queue », qui qualifiait le mode communiste de répartition de la pénurie. On retrouve la même idéologie chez José Bové, tenant du mépris des lois pour imposer ses vues.

C'est peu ou prou le contenu théorique des programmes développés par les partis de gauche, y compris socialiste et écologiste. On ne peut pourtant pas préjuger de ce que feraient réellement ces partis s'ils accédaient au pouvoir, car l'expérience a montré qu'ils étaient alors dans l'impossibilité d'appliquer leur programme, qui peut se résumer dans la volonté d'aller encore plus loin dans la seule dimension des avancées sociales et environnementales, en disposant d'un unique moyen : faire payer les plus fortunés.

Cette politique vient buter sur plusieurs écueils. D'abord, elle ne profite pas en général au développement économique, puisque ceux qui pourraient le plus contribuer à la croissance donneraient sans doute la priorité à leur propre art de vivre ou à leur départ à l'étranger plutôt qu'à la création de richesses dont ils ne tireraient aucune rémunération. On en arriverait vite à la même situation d'échec de politique économique qu'ont connue la Grande-Bretagne travailliste de Harold Wilson ou la Scandinavie, et qui les a poussées dans des révolutions libérales, avec Margaret Thatcher dans un cas, et, dans l'autre, avec la révolution en cours des pays scandinaves qui tournent le dos au modèle social-démocrate d'hier.

Au sein du parti socialiste ainsi que chez les écologistes, cette vision ne s'accompagne pas d'interventions directes de l'État pour soutenir les entreprises, bien au contraire. Le parti socialiste a très largement adhéré aujourd'hui à une vision de l'économie qu'on pourrait qualifier de blairiste : il faut laisser faire le marché qui produira naturellement la croissance économique la plus forte, et il appartiendra ensuite au gouvernement de mener une politique fiscale redistributive et d'en définir les bienfaits.

Sur le plan fiscal, un tel scénario baba-cool autoritaire se traduirait par une tendance à accroître les charges pour financer la qualité et le volume des services publics. Mais cette option serait également vouée à l'échec par le simple jeu comptable. Il est impossible de penser « trouver l'argent chez les plus riches » pour combler les déficits de ceux qui souhaitent la poursuite des tendances actuelles, sans s'en prendre également aux bourgeois bohèmes qualifiés, vivant en milieu urbain, et justement très attachés à leur mode de vie. Cette politique se retournerait donc contre ses promoteurs, puisque cette dernière catégorie sociale constitue l'un des soutiens les plus fermes de l'électorat socialiste et écologiste. En effet, ces citoyens, qui appartiennent à la classe moyenne, sont relativement moins touchés par la fiscalité et sont en revanche les premiers bénéficiaires des efforts du pays dans le domaine de l'environnement mais aussi dans le domaine culturel, dont ils sont de grands consommateurs.

Sauf à s'engager dans un dirigisme à tous crins, cette politique semble donc condamnée par le simple fait qu'elle renoncerait rapidement à l'économie de marché et verrait alors se dresser contre elle, outre un échec économique qui se traduirait par des tensions énormes pour la France au sein du système de l'euro, une large partie de ceux qui lui auraient accordé leurs suffrages. Quant à l'option interventionniste dure, il est probable qu'elle trouverait son issue politique plus vite encore, en particulier en raison de la défiance des marchés financiers qui rendraient impossible le financement déjà difficile de la dette française. Cette voie paraît donc à la fois peu vraisemblable et peu souhaitable.

La gestion du déclin

Sous le mandat présidentiel de Nicolas Sarkozy, la France a évolué. Les réformes de l'autonomie des universités, des régimes de retraite et de la carte judiciaire prouvent qu'une voie réformatrice est possible. La réaction à la crise financière, le sauvetage de l'euro et la réaffirmation de l'axe européen franco-allemand vont dans le même sens. Mais ces tentatives de réformes n'ont pas réussi à effacer le profond malaise français, qui trouve son origine dans l'impression que la France ne parvient pas à s'insérer dans la mondialisation.

Cette impression prend elle-même plusieurs formes. Elle est liée à l'absence de stratégie nationale pour répondre aux nouveaux enjeux du contexte mondial. La France a subi, sans anticipation, la montée des cours des matières premières, irréversible dans un contexte de compétition accrue entre États. Elle a subi également, sans réaction efficace, la concurrence des coûts salariaux des pays en développement, ce qui a entraîné le fameux phénomène des délocalisations. Tout se passe comme si elle prenait le même chemin face à la montée en gamme technologique des nouvelles puissances économiques. Les conséquences en sont bien connues : la conscience d'une perte grave de compétitivité industrielle, le mauvais rapport des Français avec les grandes entreprises et la crispation sur des privilèges de toutes sortes.

Ce malaise français prend racine dans le refus d'adopter une voie et de s'y tenir. L'absence de choix, qui produit un effet de balancier entre mesures protectionnistes et d'ouverture, entre politiques de relance de la demande ou de l'offre, conduit à des prises de position successives contradictoires. En un mot, la France ne sait pas choisir. La continuelle réouverture du débat nucléaire témoigne de cette absence de rationalité. La décision quasi unanime au Parlement de ne pas même expérimenter l'exploitation du gaz de schiste, étonnante richesse géologique française, en plein contexte de hausse des prix énergétiques, en est un autre exemple. Cette incohérence et cette indécision donnent la priorité aux confrontations plus qu'aux sacrifices. Elle nourrit une culture des rapports sociaux conflictuelle, où chaque groupe d'intérêt défend ses prérogatives, comme l'a montré le débat sur l'âge de la retraite.

Les décisions politiques pourraient continuer à arbitrer entre les groupes d'intérêt, en ménageant la coexistence des privilèges et des charges. Mais la crise est venue mettre un terme à la résolution des conflits par l'endettement et le déficit des finances publiques. La montée de la dette n'autorise plus le report du choix français. Il n'y aura plus de possibilités de poursuivre une telle politique, sauf à se rendre compte qu'elle s'accompagnera d'une baisse du niveau de vie qui touchera toutes les générations. À moins de déboucher sur une exaspération des conflits, avec le risque qu'apparaisse au pouvoir un « homme fort » ou une « femme forte ». Le scénario du déclin est fort possible, car c'est la voie de la facilité pour le personnel politique, mais il faut dire bien haut qu'il entraînerait à coup sûr une baisse générale et importante du niveau de vie des Français.

Le nouveau pacte national

Il existe enfin un dernier scénario, raisonnable et réaliste, celui d'un nouveau pacte national. Celui-ci devra partir de quelques réalités et principes d'action.

Ce scénario doit d'abord être raisonnable : on ne saurait remettre en cause les acquis essentiels de la singularité française de l'art de vivre, tant sur le plan culturel que sur le plan environnemental. Il s'agit au contraire de renforcer ce réel avantage comparatif qui correspond à une demande mondiale. Il faudra évidemment davantage le mettre en valeur, c'est-à-dire donner une priorité à sa rentabilité dans le cadre d'une politique économique qui se donne pour objectif le développement des services et de l'industrie de « l'art de vivre » : les industries agro-alimentaires et une gastronomie de qualité, l'industrie du luxe, l'industrie de loisirs, l'aide à la création artistique et le renforcement des activités culturelles, dont l'importance économique est sous-estimée, sont autant d'applications. Cela pourrait se traduire par des exportations importantes et par une industrie du tourisme efficace, gagnant beaucoup plus de devises qu'aujourd'hui, à condition qu'une vision plus organisée et plus industrielle de ce secteur puisse se mettre en place.

La contrainte écologique pourrait aussi permettre de valoriser des industries nouvelles, incitant à économiser l'énergie et à produire des énergies renouvelables, en particulier dans le domaine solaire, qui pourraient être à l'origine d'exportations significatives, à condition d'être soutenues par une action continue de l'État.

Ce scénario doit ensuite être réaliste. Il ne s'agit pas de revoir l'ensemble de la situation de l'économie française, mais de l'adapter aux nouvelles contraintes qui pèsent sur elle en fonction de ses forces et de ses faiblesses. Les changements à promouvoir sont de nature actionnariale, réglementaire, industrielle et fiscale.

Pour les entreprises, la principale mesure est de mettre fin à la primauté absolue de l'actionnaire. Cette nouvelle politique doit favoriser un actionnariat stable et de long terme, en particulier l'actionnariat salarié. La présence obligatoire au moins de trois salariés, dont un cadre, dans les conseils d'administration des grandes entreprises, en particulier celles du CAC 40, est nécessaire. Une telle politique permettrait de s'assurer de l'évolution de l'état d'esprit des entreprises françaises en faveur de stratégies de long terme, de prises de risque, et d'association des travailleurs à ces stratégies. On a vu en Allemagne combien c'était là un moteur efficace qui favorisait l'action des entreprises, la priorité donnée aux rentabilités de long terme, les efforts technologiques et la sauvegarde, sur le territoire national, des unités de production. Des mesures doivent être prises pour stabiliser le capital des entreprises, lutter contre le contrôle rampant en baissant de 30 à 20 % le seuil de droits de vote à partir duquel il est obligatoire de déclencher une offre publique d'achat. Il faut encore mettre en place de façon systématique, et dans toutes les entreprises cotées, le système des « bons Breton » – ils permettent à une entreprise confrontée à une OPA hostile de disposer de moyens de défense adéquats –, d'instaurer une fiscalité défavorable aux plus-values trop rapides, et d'interdire les prêts d'actions permettant la spéculation dans le capital des entreprises, les ventes à découvert, etc.

D'un point de vue réglementaire, il convient de porter toute l'attention sur ce qui pèse inutilement sur les entreprises, c'est-à-dire de montrer que le coût des mesures prises en faveur du consommateur est disproportionné. On peut penser ici aux dernières réglementations industrielles dans le domaine d'émission de CO_2, mais aussi au projet de législation ouvrant la porte à des procès de masse, intentés par les consommateurs (*class actions*), ou encore à une nouvelle taxation augmentant la charge des entreprises sans en faire porter une partie sur la taxe d'habitation des particuliers : autant d'arbitrages toujours favorables aux particuliers et aux consommateurs, et pénalisant les producteurs.

En termes de politique économique, ce scénario devrait replacer l'industrie au centre des préoccupations françaises, une place qu'elle a progressivement abandonnée. Cette politique nouvelle ne sera possible qu'en association directe avec les syndicats. On peut d'ailleurs vraisemblablement compter sur le premier d'entre eux, la CGT, pour adhérer à une politique prônant une action industrielle forte. Il s'agirait donc de relancer les grands programmes d'innovation, non pas, comme l'a fait le gouvernement, par le biais d'un crédit impôt recherche, qui accorde un avantage fixe à la recherche sans en hiérarchiser les priorités, et qui, paradoxalement, a grandement bénéficié aux banques et aux sociétés de services peu exportatrices. On devrait plutôt remettre en vigueur certains programmes ambitieux et ciblés, comme ceux qu'avait réalisés l'Agence de l'innovation industrielle, en associant PME et laboratoires publics, avec évaluation des contreparties concrètes de la part des entreprises : remboursement de l'aide en cas de succès, exécution de la recherche et développement sur le territoire ; enfin, production sur le territoire également, toujours en cas de succès de la recherche, de biens et de services correspondant à un futur marché mondial et donc création d'emplois à haute valeur ajoutée.

La France ne peut pas faire l'économie d'une nouvelle politique énergétique, centrée naturellement sur les économies d'énergie, en particulier dans l'habitat. Cette nouvelle politique énergétique doit aussi prendre en compte la production de nouvelles énergies sur le territoire national, pour contribuer à la diminution du déficit de la balance commerciale. À cet égard, il faudra modifier la position récemment prise concernant l'exploitation du gaz de schiste. Il se trouve que, par un bonheur géologique, la France dispose de réserves considérables de gaz exploitables : environ cent ans de la consommation actuelle de gaz. Il serait proprement dramatique de ne pas profiter de cet avantage. Pour ce faire, le défi, parfaitement relevable, est d'exploiter ce gaz dans des conditions écologiquement acceptables. La France compte des entreprises qui proposent des technologies parmi les plus avancées dans le domaine. Il est urgent, non pas de commencer l'exploitation sans apporter aux préoccupations légitimes des citoyens les réponses nécessaires, mais d'engager sans tarder un programme de recherche et développement, dont le coût serait modéré et dont les chances de succès sont considérables. Il s'agit donc d'un effort sans commune mesure avec celui qu'a connu la France pour se doter de l'énergie nucléaire et dont l'impact économique serait du même ordre de grandeur que ce qu'apportent aujourd'hui les centrales nucléaires. Ce programme est urgent et doit être traité avec calme, absence d'*a priori* et volonté d'avancer, ce qui a caractérisé chaque grand effort industriel français.

Un tel scénario permettrait également de mieux juger des actions et des dépenses des collectivités locales, et de favoriser celles qui se révéleraient les plus efficaces. Il serait ainsi plus judicieux de voir les collectivités locales consacrer leurs efforts à améliorer l'avantage compétitif français qu'est l'art de vivre que de maintenir des effectifs pléthoriques censés accompagner le secteur industriel. L'apport à l'activité industrielle d'un empilement de dizaines de fonctions aux niveaux de la ville, de la communauté urbaine, du département, de la région, des chambres de commerce et d'industrie mériterait d'être évalué et réorienté vers un soutien direct aux groupes industriels.

Considérer sérieusement l'insertion internationale de la France, tout en conservant une forte solidarité nationale, conduira également à des révisions fiscales. La complexité de la fiscalité française est le signe manifeste de l'absence de hiérarchisation des objectifs économiques. Les questions budgétaires sont souvent traitées dans une optique court-termiste et entraînent un empilement législatif et réglementaire impressionnant. Le niveau actuel de la dette publique est une autre expression de l'absence de hiérarchisation des objectifs de long terme. L'augmentation des déficits a toujours été considérée comme la solution aux faiblesses de la demande pendant les récessions, sans que la hausse de la fiscalité nécessaire pour équilibrer les comptes publics ne soit mise en place lors de la reprise de l'activité. De la même manière, les déficits des comptes de la Sécurité sociale résultent de l'absence de choix à long terme sur la nature des dépenses, et surtout sur leur modalité de financement.

La hausse des impôts est inévitable et une solidarité nationale bien comprise ne peut envisager que la seule baisse des dépenses puisse rééquilibrer les comptes publics. Tenir compte d'un réel effort d'insertion dans l'économie mondiale demande un double choix fiscal.

Le premier est de recentrer la pression fiscale en faveur des producteurs et donc en défaveur, à court terme, du consommateur. Ce choix difficile permet d'accroître l'emploi et de diminuer le chômage. La hausse de la fiscalité sur les ménages doit bien sûr ne pas pénaliser les plus bas revenus qui souffrent de la situation économique actuelle sans avoir profité suffisamment de la croissance de ces dernières années, mais elle ne peut se contenter de « faire payer les riches ». L'effort doit être large.

Le second choix consiste à différencier les pressions fiscales en fonction des secteurs. Ici, la différence entre métiers mondiaux et régionaux est importante. Les métiers régionaux contribuent à l'emploi mais pas à l'insertion internationale des pays. Toutes les entreprises régionales sont sur un même pied d'égalité, puisque leurs coûts sont globalement identiques ; une charge fiscale accrue ne les empêchera donc pas de jouer leur rôle. Les métiers mondiaux sont quant à eux soumis à la concurrence internationale, exportent et gagnent des devises. La fiscalité doit être allégée sur les entreprises les plus soumises à la concurrence internationale. Pour les entreprises concernées, la contrepartie de ce traitement différencié est l'engagement à développer des activités sur le territoire national. Cette distinction fiscale demande d'identifier les métiers mondiaux qui incarnent l'avantage comparatif de la France. Enfin, une fois ces orientations prises, il faut laisser la concurrence jouer afin que toutes les entreprises de ces secteurs puissent développer leurs stratégies dans ce nouvel environnement institutionnel. Si l'État doit contribuer à définir le cadre dans lequel les stratégies privées sont élaborées, il ne doit pas tenter d'assurer à leur place des fonctions de gestion.

Le choix allemand d'augmenter la TVA pour baisser les cotisations sociales qui pèsent sur le coût du travail est un exemple clair d'arbitrage en ce sens. Le consommateur est temporairement pénalisé pour diminuer le coût du travail et donc faciliter les ventes à l'export. En somme, il convient de faire évoluer la fiscalité pour qu'elle devienne compatible avec un modèle commercial-industriel à la française.

Dernier axe de développement : renforcer la coopération économique avec le continent africain, pour trois raisons principales. En premier lieu, les révolutions récentes dans le monde arabe ont modifié les liens politiques qui unissent la France et les pays de la région, parmi lesquels des ex-colonies. Ces révolutions offrent à la France la possibilité de laisser derrière elle le complexe colonial et de renforcer ses positions économiques dans la région, en lien avec des gouvernements plus démocratiques. En deuxième lieu, la croissance de beaucoup d'économies africaines peut profiter à la France, qui est l'un des pays développés les mieux implantés et les plus influents d'Afrique. En troisième lieu, les ressources naturelles africaines sont essentielles aux entreprises énergétiques françaises, comme le montre l'exemple des mines d'uranium qu'exploite Areva au Niger. Le développement des intérêts économiques français en Afrique est aujourd'hui concurrencé par la Chine et, dans une moindre mesure, par les États-Unis. Le soutenir est une priorité.

L'essentiel d'un tel programme consiste avant tout en l'abandon des mesures imposées par le modèle libéral-financier et l'adoption claire en France du modèle commercial-industriel. L'action de l'État n'y serait pas interventionniste mais incitative : l'État ne s'immiscerait pas directement dans la gestion des entreprises, mais, comme en Allemagne, les inciterait à privilégier les stratégies de développement de long terme, tournées vers les industries d'avenir exportatrices sur le territoire national. Cette claire séparation entre intérêts public et privé s'accompagnerait également d'une refonte du secteur des médias. Un journal de presse ou une chaîne de télévision ne pourrait faire partie d'un groupe dont plus de 30 % de son chiffre d'affaires résultent de contrats avec l'État ou les collectivités locales.

Ce programme mettrait ensuite l'accent sur une politique sociale associant les syndicats à la mise en place d'un tel modèle, qui serait la contrepartie d'un dialogue salarial susceptible d'améliorer la compétitivité, et d'investissements permettant de créer des emplois sur le sol national.

Au fond, ce programme relève d'une vision d'entente nationale et de solidarité. Il ne pourra être adopté qu'avec un effort politique de long terme. Ce serait enfin le moyen pour la France d'échapper à une décadence morose et conflictuelle.

La France doit choisir.

Chapitre 15

L'Europe

Le chemin parcouru depuis 1945 par le projet européen montre que la crise que traverse l'Europe est un défi à sa portée. La construction européenne, initiée par une volonté de réconciliation franco-allemande dans l'après-guerre, avait comme visée première un projet fédéral où les décisions seraient prises à la majorité simple. Ce projet ambitieux s'est heurté, en 1954, à l'échec de la Communauté européenne de défense, faute d'une attitude commune dans la relation aux États-Unis. Face à ces blocages politiques, la possibilité de construction recentrée sur l'économie, avec le marché commun s'est imposée comme la plus réaliste. La création de la Communauté européenne du charbon et de l'acier, en 1952, qui avait pour but de mettre en œuvre un marché unique, a montré la voie pour le traité de Rome de libre-échange. Puis, les oppositions entre une Europe des États et une Europe libérale et financière ont abouti à la création de l'euro et à l'approfondissement du marché commun. L'Europe s'est donc construite à coups de crises et de compromis successifs.

Elle dispose aujourd'hui d'avantages économiques et politiques de tout premier ordre. Elle abrite 500 millions d'habitants et près d'une trentaine de démocraties libérales qui lui confèrent une forte stabilité politique. Elle détient la deuxième monnaie mondiale, des entreprises parmi les leaders mondiaux dans presque tous les secteurs, à l'exception notable des nouvelles technologies. Or, ce potentiel reste largement inutilisé pour faire face aux défis qui se présentent : surmonter la crise financière de 2008, devenue une crise économique et monétaire au sein de l'Europe ; construire entre les États-Unis et la Chine un ensemble européen crédible et solide. Face à la crise, les mesures prises en 2010 et 2011 ont ouvert la voie à une politique de solidarité, d'inspiration communautaire, dirigée par l'Allemagne et la France. Reste à évaluer la menace d'un éclatement de la zone euro et à examiner la possibilité d'un renforcement à l'avenir de la coopération franco-allemande.

Les évolutions du projet européen

Depuis la fin de la Seconde Guerre mondiale, l'Europe s'est construite sur une série de compromis successifs qui, à chacune des étapes, ne satisfaisaient que partiellement les protagonistes. Le projet européen ne suit pas une trajectoire linéaire mais un mouvement de balancier entre échecs et résolutions par compromis.

Le premier compromis naît de l'échec d'une unification stratégique et militaire et débouche sur la création du marché commun. L'une des différences majeures par rapport à l'après-Première Guerre mondiale, ou même à aujourd'hui, c'est que l'idée européenne dispose après 1945 d'appuis politiques et de relais dans l'opinion beaucoup plus importants. La construction européenne est soutenue par les États-Unis, car elle va dans le sens de leurs intérêts, en consolidant un bloc occidental face au bloc soviétique. L'idée européenne est au cœur de l'action de la démocratie chrétienne et de nombreux mouvements fédéra-

listes, unionistes, libre-échangistes ou encore dirigistes qui
apparaissent alors. Cela débouche en 1949 sur la création
du Conseil de l'Europe, dont le but principal est de former
un droit commun européen. Peu à peu, une vision européenne de plus en plus supranationale s'impose.

Sur le plan économique, elle prend la forme de la Communauté européenne du charbon et de l'acier – CECA –
créée au début des années 1950. Cette instance dispose
d'une autonomie communautaire représentée par un impôt
européen sur les entreprises, une haute autorité indépen-
dante des gouvernements, une cour de justice… Mais cette
approche reste sectorielle : elle vise des intérêts économiques de reconstruction. Elle ne parvient pas à s'élargir
en une communauté européenne de défense. Le réarmement allemand n'est pas accepté par l'opinion française. La
perspective d'une armée européenne sous le commande-
ment d'un état-major commun et le projet fédéraliste de
constitution d'une Communauté politique européenne rencontrent de vives résistances. C'est ainsi que le traité insti-
tuant la Communauté européenne de défense en 1952, qui
autorise le réarmement allemand justifié par le contexte de
guerre froide, est rejeté par le Parlement français en 1954
alors que les cinq autres membres de la CECA l'ont ratifié.
La volonté fédéraliste d'après-guerre, s'inspirant d'ambitions stratégique et militaire, est donc un échec. Elle ne
dépasse pas le strict cadre de la CECA.

C'est alors qu'intervient le premier compromis qui
donne naissance en 1957 à la Communauté économique
européenne – la CEE – et au Marché commun, entre l'Allemagne, la France, l'Italie et les pays du Benelux. Les traités de Rome instituent la libre circulation des marchandises
par la suppression progressive des droits de douane et
des autres formes détournées de protectionnisme national
– les marchés publics, les normes techniques… De cette

libéralisation des échanges, défendue surtout par l'Allemagne, on attend un renforcement de la concurrence et, par conséquent, de la croissance économique. La France se rallie au Marché commun en échange de l'institution de la Politique agricole commune – la PAC. Cette politique agricole a pour objectif de protéger les producteurs européens, au premier rang desquels les agriculteurs français, de la concurrence internationale, en instaurant des barrières douanières et le principe de la préférence communautaire. Sur le plan institutionnel, la CEE va moins loin que la CECA : elle est un compromis entre l'option fédérale et l'Europe des États. Cette ambiguïté se traduit par la création d'un exécutif bicéphale, avec la Commission de Bruxelles, instance clairement supranationale, et le Conseil des ministres, qui prend l'essentiel des décisions à l'unanimité.

Durant les années 1960, l'intégration économique européenne se poursuit. L'union douanière se réalise plus vite que prévu : les droits de douane sont définitivement supprimés en 1968. En quelques années, le commerce extérieur français s'est détourné des ex-colonies pour se diriger vers l'Allemagne, qui devient rapidement le premier client et le premier fournisseur de l'économie française. Entre 1958 et 1970, les échanges communautaires sont multipliés par six, quand le commerce mondial double. La Politique agricole commune est également une réussite. L'essor de la productivité permet à la CEE, dépendante de ses approvisionnements alimentaires, de devenir exportatrice. Le monde paysan peut dès lors se moderniser.

Mais hors des domaines économique et commercial, le projet européen marque le pas pour deux raisons principales. D'un point de vue politique et institutionnel d'abord, l'horizon des souverainetés nationales n'est toujours pas dépassé au seuil des années 1980. La vision gaulliste d'une

« Europe des patries », qui bloque toute évolution fédéraliste, n'est pas parvenue pour autant à convertir les partenaires européens de la France à l'option confédérale. D'où
le rejet en 1962 du plan Fouchet, qui entendait créer une
union d'États, conforme aux conceptions du général de
Gaulle. D'où la crise de 1965 quant au financement de la
PAC marquée par la politique française de la chaise vide.
D'où le refus français à deux reprises, en 1963 et 1967, de
l'élargissement du Marché commun à la Grande-Bretagne.
De Gaulle se méfie alors de la vision libérale britannique,
contraire au soutien européen à l'agriculture française. Il
suspecte le Royaume-Uni de toujours choisir le grand large
entre l'Europe continentale et les États-Unis. Il prône au
contraire un renforcement de l'axe franco-allemand, qui
aboutit au traité de l'Élysée en 1962, lequel est totalement
vidé de sa substance lors de sa ratification au Bundestag.

Par la suite, les membres de la CEE réagissent en ordre
dispersé à la crise économique mondiale des années 1970.
Aucune politique énergétique commune n'est mise en place
pour répondre aux chocs pétroliers.

Le président Pompidou donne son accord à l'élargissement à la Grande-Bretagne en 1973. Celui-ci crée le risque
d'une dilution de l'esprit communautaire, car les Britanniques ne comptent pas renoncer à leurs vues. Les réserves
britanniques à l'encontre de la construction européenne
répondent à plusieurs raisons. Le Royaume-Uni entre dans
l'Europe après la phase de prospérité et au moment de
l'entrée en crise. Pour les Britanniques, la démocratie
s'identifie avant tout au Parlement national, et les instances
supranationales, comme la Commission, sont jugées peu
démocratiques.

C'est l'enjeu du combat que mène Margareth Thatcher à
partir de 1979. Son inspiration néolibérale se heurte aux
mécanismes interventionnistes prévus par le traité de Rome

pour soutenir certains secteurs confrontés à la concurrence internationale. Elle ne cache pas son hostilité au principe de la préférence communautaire, contraire à la vision libérale. C'est pourquoi elle tente de réduire la contribution britannique au budget européen.

Il existe donc une confrontation au début des années 1980 entre une Europe de la liberté des biens et des capitaux, élargie à un maximum de pays, et une Europe plus communautaire, qui veut compter au niveau mondial grâce à des politiques communes. On comprend ainsi pourquoi la Grande-Bretagne a soutenu l'élargissement en 1981 et 1986 à la Grèce, au Portugal et à l'Espagne, qui accentue les disparités économiques au sein de la CEE et rend par conséquent plus difficile la poursuite de l'intégration dans le domaine politique.

Ce conflit aboutit au second grand compromis européen. L'Acte unique est signé en 1986. Tout en instaurant un grand marché unique conforme à la vision libérale, l'Europe se dirige vers un approfondissement communautaire. Le nouveau compromis consiste à mener simultanément, d'un côté, l'approfondissement de l'intégration du marché intérieur, y compris dans le domaine des services, dont certains étaient des monopoles nationaux – comme la poste, les télécommunications, les transports publics, l'électricité, etc. – et, de l'autre, la mise en place de la monnaie unique, création institutionnelle sans précédent historique en temps de paix. La coordination des politiques fiscales et sociales est cependant maintenue *a minima*. C'est le deuxième grand compromis européen.

L'Acte unique supprime toutes les entraves à la libre circulation des marchandises. Les normes techniques nationales sont harmonisées, le transport aérien libéralisé. L'Europe devient ainsi le plus grand marché unifié au monde. En contrepartie, la PAC, bien que réformée, est préservée. La voie est aussi ouverte vers la création d'une monnaie unique. L'unification monétaire, adoptée à Maastricht, a un fort enjeu politique. Cette unification est clairement d'inspiration allemande. Le modèle de la future monnaie est le mark allemand. Les principes de convergence adoptés parallèlement pour maîtriser l'inflation et les déficits publics – limitation du déficit budgétaire à 3 % du PIB et de la dette publique à 60 % du PIB – répondent aux règles allemandes de rigueur de gestion et d'orthodoxie budgétaire. L'euro s'accompagne de la création de la Banque centrale européenne, la BCE, instance supranationale dont l'indépendance est destinée à garantir la stabilité monétaire. Le traité de Maastricht, voté de justesse en France, crée aussi l'Union européenne, qui approfondit le projet de la CEE, avec par exemple l'instauration d'une citoyenneté européenne.

Les deux dernières décennies relèvent du même mécanisme de conflit et de compromis entre deux visions européennes. Après la chute du mur de Berlin, la plupart des anciennes démocraties populaires déposent officiellement leur candidature à l'entrée dans l'Union. Pour ces pays, comme pour les membres de l'Union, il s'agit de rendre irréversible le choix de l'économie de marché et de la démocratie libérale. Cette poursuite de l'élargissement européen aux pays de l'Est en 2004 et 2007 est favorable à la vision britannique d'une Europe comme marché ouvert et zone de libre-échange ; elle s'éloigne de l'esprit communautaire en rendant plus difficile l'harmonisation politique, économique et fiscale entre les membres et la prise de décision collective. Cela débouche sur l'échec de l'adoption par référendum d'une Constitution européenne, qui vise à faire de l'Europe un acteur plus présent sur la scène internationale en la dotant d'un représentant et d'un président stable du

Conseil européen et qui prévoit une extension du vote à la majorité qualifiée. Le projet est finalement adopté par voie parlementaire, mais il a montré l'ampleur des divergences européennes. La crise économique de 2008 témoigne des difficultés que traverse l'Europe depuis quelques années. L'Union européenne reste internationalement inaudible et son approfondissement politique est désavoué par les citoyens.

Il s'agit maintenant d'observer quel nouveau compromis la réaction européenne à la crise est en passe de faire émerger.

Le tournant de l'année 2010

Les difficultés actuelles de la construction européenne proviennent d'un manque de projet. Si le rôle du couple franco-allemand est toujours reconnu, la nature des politiques à mettre en œuvre fait débat. Le fonctionnement institutionnel est incroyablement complexe et l'on se satisfait de son inefficacité. La paralysie, ces dernières années, a été la règle. La Commission est acquise aux règles économiques du modèle libéral-financier. L'Allemagne a toléré jusque-là la situation, car elle ne contrarie pas sa position commerciale et industrielle dominante. La France, conquise par les vues de la City, n'a pas pesé. Mais la crise change la donne, car elle offre l'occasion d'une reprise en main de la vision communautaire.

La crise de 2008 montre l'échec des valeurs du modèle libéral-financier défendu en Europe par le Royaume-Uni. L'autocontrôle des institutions financières et la confiance en la suprématie de l'actionnaire dans la conduite des stratégies des entreprises sont battus en brèche. La crise a également creusé les déficits et les dettes publics des États européens.

Elle a nécessité de la part des pays membres de prendre des mesures fortes en 2010 et en 2011, dans la mesure où la crise financière et économique s'est transformée en une crise monétaire et une crise de la dette. Pour éviter l'insolvabilité de nombreux États, une solution de solidarité a prévalu. Sur le front de la dette, ont été mis en place un plan de sauvetage de la Grèce surendettée et un Fonds européen de stabilité financière – FESF – qui sera remplacé en 2013 par un mécanisme européen de stabilisation – MES. Sur le front monétaire, on a assisté à un changement de politique monétaire de la part de la BCE. Celle-ci est allée jusqu'à racheter directement sur le marché des dettes d'État, à soutenir la liquidité des banques et à stimuler l'économie. Elle est donc sortie de sa simple fonction de stabilisation monétaire[1].

Ce sauvetage a principalement été conduit par le duo franco-allemand. D'un côté, l'Allemagne a accepté, malgré son attachement à la stabilité et son opposition à la monétisation des dettes par la BCE, que les pays les moins endettés se portent garants des pays les plus endettés. D'un autre, la France a accepté que le fonds de secours ne soit ni permanent ni supranational, c'est-à-dire financé par des emprunts de l'Union européenne. La coopération bilatérale franco-allemande, en dépit de vues souvent divergentes, a montré une réelle capacité de résistance et de réaction depuis 2008. La France a apporté son soutien à la volonté allemande de renforcement du contrôle des marchés financiers. Elle a appuyé le pacte de compétitivité voulu par Berlin pour

1. Cf. *Mieux gouverner la zone euro. Le fragile compromis franco-allemand*, Comité d'études des relations franco-allemandes, IFRI, mars 2011.

discipliner les membres endettés, y compris la France, en réduisant le déficit de leurs finances publiques et en restaurant leur compétitivité.

Cette politique de solidarité demande une convergence des économies européennes. Les différences fortes de politique économique et l'absence de coordination ont créé des divergences entre les pays qui provoquent aujourd'hui de réelles tensions au sein de l'Union européenne. Un bon indicateur de ces divergences est par exemple le solde des balances commerciales entre les pays européens et le reste du monde. L'Espagne a creusé un déficit commercial très important avant la crise financière. Son économie était alors portée par la bulle de l'immobilier. La France s'installe dans un déficit structurel créé par sa désindustrialisation, alors que l'Allemagne, elle, reste l'un des tout premiers pays exportateurs du monde. En d'autres termes, l'Allemagne à elle seule assure l'équilibre du solde commercial de la zone euro et finance les déficits des autres pays. Une telle situation de déséquilibre ne peut durer sur une longue période. C'est pourquoi la politique de solidarité mise en place pour sauver l'euro s'accompagne d'un renforcement du pacte de stabilité, ignoré cette dernière décennie même par l'Allemagne, et du pacte de compétitivité. Cela permettrait en théorie de résorber les écarts entre les dettes, les balances commerciales et les capacités industrielles des seize pays membres de la zone euro. La crise impose donc les principes allemands de rigueur budgétaire et de maintien des coûts salariaux. Elle différencie nettement la zone euro et l'Union européenne, en faisant de la première le cadre de résolution de la crise. Elle aboutit ainsi enfin à une Europe à deux vitesses.

Les scénarios d'avenir

L'avenir de l'Europe fait face à deux scénarios, plus ou moins envisageables économiquement et plus ou moins souhaitables politiquement. Le premier tient à l'effondrement de la monnaie unique ; le second au renforcement de l'intégration européenne autour de l'axe franco-allemand et à un nouveau compromis européen autour du modèle commercial-industriel.

Le premier scénario nécessite d'examiner si l'hypothèse d'un éclatement de la zone euro est envisageable [1].

Il existe deux arguments qui rendent crédibles un éclatement de l'euro. Le premier est que l'euro demande aux pays qui sont confrontés à une crise de leurs finances publiques de résoudre leur problème de compétitivité par une baisse des salaires et des coupes budgétaires, la dévaluation étant impossible. Or, cela peut s'avérer politiquement et socialement extrêmement difficile. Il n'est pas certain sur ce point qu'une sortie de l'euro, suivie d'une dévaluation, ne soit pas plus facile à mener qu'une compression salariale et qu'un repli de la demande intérieure. La dévaluation était d'ailleurs la solution la plus couramment retenue par les pays européens avant l'instauration de la monnaie unique. Le second argument est lié à la grande diversité des économies européennes. Cette diversité se retrouve à tous les niveaux. La structure productive est de type industriel dans des pays comme l'Allemagne, la Finlande ou l'Autriche, alors qu'elle se concentre sur les services non exportables dans les pays du sud de l'Europe.

1. Cf. *Flash marchés*, Recherche économique Natixis, 25 mars 2011, dont on s'inspire sur cette question.

Les coûts salariaux sont également trop élevés au Sud. Les taux de croissance, balances commerciales et déficits publics sont enfin radicalement différents. La question est alors de savoir si cette hétérogénéité des structures économiques est encore compatible avec le maintien de règles de politiques économique, budgétaire et monétaire communes. Il est difficile pour des pays comme la Grèce ou le Portugal de trouver dans la zone euro des règles qui correspondent aux structures de leurs économies.

À l'inverse, on trouve un argument majeur contre un effondrement de l'euro : son coût, aussi bien pour les pays créanciers que pour les pays débiteurs. Pour les premiers, si les pays les plus touchés sortent de la zone euro, la conversion de leurs dettes dans leurs nouvelles monnaies occasionnerait une importante perte de capital. L'Allemagne perdrait aussi plusieurs points de PIB au cas où les pays du sud de l'Europe dévaluaient, tout en gardant la même part d'importations venues d'Allemagne. Pour les seconds, les pays endettés, le plus grave danger tiendrait à la montée de leur taux d'intérêt. Pour pouvoir se financer, ces pays devraient alors réduire leurs déficits et restaurer leurs compétitivités ; ce qui leur est déjà demandé mais avec l'aide de la zone euro. La dévaluation et la sortie de l'euro ne feraient que reporter le problème pour la Grèce, par exemple.

Les conséquences économiques d'une sortie de la Grèce de la zone euro ont été évaluées à un recul de plus de 7 % du PIB grec et de 1 % du PIB européen [1]. L'impact d'une disparition de l'euro serait bien plus important. Il entraînerait un repli de 5 à 9 % du PIB européen, avec de grandes divergences d'un pays à l'autre. Les taux de change des monnaies européennes s'effondreraient par rapport au dollar.

1. Cf. *EMU Break-up. Quantifying the Unthinkable*, ING, Financial Markets Research, 7 juillet 2010.

L'Espagne et le Portugal connaîtraient une grave inflation, tandis que l'Allemagne serait soumise à un choc déflationniste. Mais la demande mondiale de produits industriels allemands resterait forte. Le revers de la médaille pour l'Allemagne serait politique, et la menace serait aussi de voir de nombreux clients européens dévaluer et de connaître ainsi une baisse de ses exportations et une concurrence commerciale et de coûts accrue, en particulier de la part de la France. L'Allemagne verrait sa monnaie, le nouveau deutschmark, considérablement réévaluée, portant un coup extrêmement grave à la compétitivité des exportations allemandes, moteur essentiel du développement économique du pays. Enfin, le danger pour ses banques largement exposées aux dettes européennes serait très grand.

Pour l'Europe dans son ensemble, le risque serait d'assister au retour de politiques non coopératives qui aboutiraient à une compétition économique entre États et ruineraient le projet européen. S'il est techniquement envisageable, l'éclatement de l'euro équivaudrait à une catastrophe politique et économique. Il serait aussi une défaite monétaire, puisqu'il marquerait la victoire du dollar et aussi de la livre. Pour les entreprises enfin, un effondrement de l'euro serait également catastrophique : la zone euro est un monde difficile − la valeur de la monnaie unique handicape souvent la compétitivité des entreprises européennes −, mais c'est un monde stable. Sa fin ouvrirait la voie à un univers de concurrence tous azimuts en raison de comportements non coopératifs. Elle entraînerait une crise bancaire grave, puisque 85 % de la dette extérieure des membres de la zone euro sont détenus au sein de la zone euro.

Le second scénario, plus optimiste, correspond à un nouveau compromis européen. Cette nouvelle impulsion du projet européen s'opérerait autour du couple France-

Allemagne. Elle demanderait aux Allemands de consentir à des transferts financiers pour soutenir le déséquilibre du commerce français. Elle demanderait en retour aux Français de se plier aux règles allemandes de rigueur. L'Allemagne a intérêt à soutenir l'un de ses principaux fournisseurs et clients. Ces deux pays peuvent pour cela partager un modèle social qui a de grandes similitudes. Les deux économies sont largement interconnectées et complémentaires, avec une dominante industrielle pour l'Allemagne et une dominante des services pour la France. Un accord équilibré pourrait renforcer les avantages compétitifs des deux pays. Le succès d'EADS, fabriquant d'Airbus, malgré les difficultés de gouvernance qui trouvent petit à petit leurs solutions, constitue un exemple de ce qu'il est possible de faire au niveau européen.

La France et l'Allemagne peuvent relancer l'intégration économique européenne, y compris pour les pays qui souhaiteraient les rejoindre, en mettant en place des politiques industrielles nouvelles. Celles-ci doivent chercher à créer de nouvelles incitations pour les entreprises et non à définir leurs stratégies. L'État ne doit pas financer massivement une seule entreprise, afin de ne pas créer des rentes de monopole, dommageables à l'innovation à long terme. Ces politiques industrielles doivent se donner pour but la liaison entre les petites et moyennes entreprises, les grandes entreprises et la recherche publique, en veillant à l'équilibre des pouvoirs. Elles doivent se traduire par une profonde modification de la politique de concurrence européenne, pour qu'elle cesse d'être myope, uniquement centrée sur le marché européen. Elles devront prendre en compte les autres pays tels que la Chine, les États-Unis et le Japon, dans le soutien de leurs entreprises. Ce changement est sans doute le plus important pour conduire l'Europe sur le chemin de l'efficacité et de l'influence.

Pour autant, la politique dans le secteur des services financiers doit apporter un soutien à la City qui représente, face aux États-Unis et à la Chine, un important atout pour l'Europe. De son côté, la City devra accepter de jouer le jeu européen, en acceptant un degré réaliste de régulation européenne, et plus seulement un jeu international. Elle devra tenir compte des institutions financières de l'Europe continentale et définir avec elles les positions à tenir, principalement face aux Américains.

Ainsi un partage des tâches est envisageable, semblable aux anciens compromis qui ont été si importants pour assurer la dynamique de l'Europe : compromis industrie-agriculture, compromis marché intérieur-euro à l'époque de Jacques Delors ; ce nouveau compromis devrait conjuguer un soutien puissant des États à l'industrie en France et en Allemagne, et un secours aux ambitions financières internationales de la City, à condition qu'elles n'agissent pas à l'encontre des intérêts franco-allemands. Enfin il devrait apporter un soutien global aux sociétés de services, en priorité dans le domaine des médias, des règles de fonctionnement de l'Internet et de la culture face à la volonté hégémonique des firmes américaines, telles que Google, soutenues naturellement par les États-Unis.

En résumé, la France et l'Allemagne doivent faire émerger un modèle commercial-industriel à l'échelle de l'Europe. La prise de conscience de la faiblesse actuelle de l'Union, durablement divisée, et la nécessité de répondre au défi chinois en particulier nécessitent la mise en place d'une politique d'envergure, urgente et indispensable, pour permettre à l'Europe de continuer à exister, notamment face à ce que sera la confrontation américano-chinoise. Un tel modèle peut rester compatible avec la construction européenne et le marché commun que nous connaissons, mais l'existence d'une Europe à deux vitesses doit être acceptée, affirmée et institutionnalisée. La politique de la concurrence devra être profondément modifiée pour permettre la adoptée d'un tel modèle commercial-industriel, si l'on veut qu'il fonctionne. Sur la base de la libre participation des pays, une harmonisation fiscale et sociale devra être adoptée dans les pays qui le souhaitent.

Acceptant ainsi ses divergences mais tirant parti de ses complémentarités face au monde extérieur, alors qu'elle paraît aujourd'hui se concentrer sur ses oppositions internes qui se neutralisent, l'Europe pourrait enfin sortir de son impuissance et freiner son évolution vers une marginalisation tant économique que politique.

Conclusion

L'analyse des principales puissances mondiales montre que, dans la situation économique d'un pays, l'harmonie entre les stratégies des entreprises et l'orientation définie par l'État joue un rôle fondamental. Il revient aux entreprises de valoriser, d'incarner et de transformer économiquement l'avantage compétitif d'un pays. En un mot, de faire de cet avantage compétitif un atout concurrentiel. Il revient à l'État de mettre en place l'environnement dans lequel évoluent les entreprises ; cet environnement dépend de lois, de décrets et de l'action des responsables politiques et administratifs. Cela demande de choisir entre les différents modèles qui ont été décrits dans la première partie. Cet arbitrage, notamment entre le modèle libéral-financier et le modèle commercial-industriel, s'effectue en fonction des données historiques, culturelles et géographiques, qui conditionnent en profondeur un pays. Ce choix institutionnel et structurel entre différents modèles relève de l'action de l'État.

Quel est le critère véritablement déterminant dans ce choix ? On l'a vu, trois facteurs permettent de distinguer les modèles : le système d'innovation, le type de relations sociales, en particulier la place accordée aux syndicats, et le rôle dévolu à l'actionnaire. Parmi ces trois facteurs, les deux premiers sont moins déterminants que le troisième.

Le critère fondamental est en effet la différence entre une vision de l'entreprise qui donne la primauté à l'actionnaire et une vision attentive aux conséquences nationales des actions de l'entreprise. La question est de savoir si l'on recherche la toute-puissance de l'actionnaire sur la gestion des entreprises ou si l'on prend en compte l'ayant droit national. C'est sur ce point que réside le cœur du choix que doit opérer l'État.

Il est faux de dire, comme cela a souvent été répété, que la priorité absolue de l'actionnariat conditionnerait l'efficacité d'une économie de marché. Il existe, dans des pays moteurs et aux croissances solides, un modèle commercial-industriel qui récuse cette primauté actionnariale et toutes ses conséquences : le règne du court-terme, la non-prise en compte de l'intérêt national, le soutien aux activités financières spéculatives, l'absence de participation des salariés à la stratégie des entreprises… Dans cette perspective libéral-financière centrée sur l'actionnaire, l'entreprise devient un nœud de contrats, sans dimension sociale ou nationale. Or, il existe une autre vision, qui fait de l'entreprise une institution et qui permet de résoudre la contradiction actuelle entre la logique actionnariale et l'intérêt national. C'est cette contradiction qui est responsable en grande partie de la désindustrialisation française, qui commence à partir du virage libéral-financier. Cette seconde vision, qui refuse la toute-puissance de l'actionnaire, restaure le rôle de l'organe fondamental d'une entreprise qu'est le conseil d'administration. C'est en son sein que peuvent se confronter les représentants de l'actionnaire, ceux des salariés et la direction. Le conseil d'administration est le véritable cœur du fonctionnement du modèle commercial-industriel.

Après la chute du modèle communiste dirigiste, beaucoup ont pensé, par parti pris idéologique, que n'était efficace que le modèle libéral-financier. Les méthodes de gestion importées des États-Unis ou du Royaume-Uni étaient données en modèle. Or, depuis la crise de 2008 et l'émergence asiatique, symbolisée par des pays comme la Chine ou la Corée du Sud, la preuve est en train d'être faite qu'il n'existe pas qu'un seul et unique modèle gagnant, contrairement à ce que l'idéologie libéral-financière a voulu faire croire. Les événements récents montrent l'affrontement de deux modèles très différents qui peuvent coexister. Ils témoignent même, au-delà de cette coexistence, de la victoire du modèle commercial-industriel sur le modèle libéral-financier. La vitesse de l'émergence de la Chine, la résistance japonaise et l'ampleur de la perte de puissance générale de l'Occident, à l'exception du succès en Europe de l'Allemagne, indiquent que cette victoire n'a rien de conjoncturel et de temporaire.

Un indice en a été récemment fourni lors de la formation de ce que l'on peut appeler l'alliance de Sanya. En avril 2011, les puissances émergentes se sont réunies pour la troisième année consécutive dans une station balnéaire de la province insulaire de Hainan, dans l'extrême sud chinois, à Sanya. Parmi les membres du sommet, figurent les BRICS, Brésil, Russie, Inde et Chine, rejoints par l'Afrique du Sud. Même si le Mexique, l'Indonésie ou la Turquie sont économiquement plus puissants, l'Afrique du Sud a été conviée en sa qualité de leader des économies de l'Afrique, continent d'avenir tant convoité par la Chine. Que la réunion ait lieu en Chine n'est pas un hasard : la Chine joue un rôle moteur dans le partenariat entre pays émergents. Elle occupe une place centrale dans le groupe, et cette tendance ne cesse de s'accélérer. Durant ces rendez-vous, les BRICS, qui connaissent des taux de croissance bien supérieurs aux puissances occidentales, jettent les fondements d'un nouvel ordre économique mondial. Sous leadership chinois, ils remettent en cause les règles du jeu américaines et le modèle libéral-financier. Dans son discours, Hu Jintao a mis en avant les valeurs d'harmonie et de développement scientifique, slogans politiques souvent répétés par le Parti communiste chinois dans le traitement des affaires intérieures, donnant ainsi l'impression de vouloir faire entendre avec force une voix chinoise sur la scène internationale.

Au même moment, le dialogue au G20 apparaît dans l'impasse. D'un côté, les Américains persistent à revendiquer une réévaluation de la monnaie chinoise, qui selon eux fausse les échanges mondiaux. De l'autre, les Chinois soulignent que le vrai problème économique n'est pas monétaire mais qu'il tient au sous-développement des pays non occidentaux. À nouveau se fait entendre, portée par la Chine, une voix dissonante par rapport au consensus occidental emmené par les États-Unis. L'alliance de Sanya révèle la possibilité d'un monde interconnecté hors de l'Occident. Elle regroupe des pays qui refusent les principes du modèle libéral-financier. Se constitue ainsi une autre sphère économique mondiale, qui se prépare à l'éventuelle réponse protectionniste occidentale. Preuve est donc faite de la coexistence de différents modèles économiques en concurrence croissante.

Cette diversité pose à l'Europe la question du choix de son modèle. Ce choix implique principalement trois pays : le Royaume-Uni, l'Allemagne et la France. Le Royaume-Uni, comme on l'a montré, est par nature un pays libéral-financier ; son intérêt est de le rester. L'Allemagne, au contraire, est par nature un pays commercial-industriel. Elle n'a aucune raison de modifier un modèle qui lui réussit. Le choix français sera, par conséquent, déterminant à la fois pour l'avenir européen et pour son propre destin.

La France a rompu avec le modèle qui a prévalu durant les Trente Glorieuses pour se tourner vers l'option libéral-financière. Elle doit maintenant faire le chemin inverse. À suivre la voie libéral-financière qui ne correspond pas à son identité, elle perdra toujours face aux États-Unis et à la Grande-Bretagne. Elle ne concurrencera jamais la City. Son adaptation à un modèle commercial-industriel, qui ne renie pas sa spécificité qu'est l'art de vivre, est plus facile et souhaitable. Naturellement, l'idée d'une France qui continue à se quereller et à s'accrocher à ses privilèges ne doit pas être exclue. Mais le pays n'a plus le luxe de ne pas choisir. Il n'a rien à gagner, et tout à perdre, à jouer le grand large contre l'Europe, et à refuser un modèle économique commercial-industriel vers lequel tous les pays d'avenir se tournent. Vraiment, il est temps de choisir.

Remerciements

Ce livre, je l'ai dit en introduction, résulte de quarante années de gestion d'entreprises. Je ne saurais donc pouvoir remercier tous ceux qui, dans de nombreux pays, m'ont permis de nourrir les réflexions qui ont conduit à cet ouvrage.

Je souhaite cependant citer ceux qui ont joué un rôle particulièrement important pour me permettre de me faire une idée personnelle de l'évolution du monde actuel :

– le prix Nobel d'économie américain Robert Solow, coprésident du centre Cournot pour la recherche en économie, et les responsables de ce centre ;

– les professeurs Robert Boyer, Michel Aglietta et Masahiko Aoki, ainsi que Patrick Artus ;

– Alain Minc, pour toutes les discussions que nous avons eues, qu'elles aient débouché sur des accords ou des désaccords ;

– Xavier Ragot et William Arkwright qui m'ont aidé à rédiger ce livre ;

– Roger Martin et Roger Fauroux, mes prédécesseurs comme présidents-directeurs généraux de Saint-Gobain, Pierre-André de Chalendar, mon successeur, les dirigeants, cadres, ouvriers, employés et syndicalistes de cette grande entreprise ;

– les chefs d'entreprises industrielles Gérard Mestrallet, Louis Gallois, Jean-Cyril Spinetta et Gerhard Cromme ;

– les banquiers Michel Pébereau, François Henrot et sir Simon Robertson ;

– les dirigeants de Lazard Frères, Bruno Roger et Ken Jacobs qui, en plus, me permettent de contribuer aujourd'hui au développement de cette célèbre maison, en particulier en Asie ;

– les grands industriels du corps des Mines, qui ont tant fait pour l'industrie française, Pierre Guillaumat, André Giraud, Georges Besse et Jean Blancard ;

– enfin Olivier Bétourné et Jean-Christophe Brochier, des éditions du Seuil, qui ont souhaité éditer ce livre.

Table

RÉALISATION : IGS-CP À L'ISLE-D'ESPAGNAC
IMPRESSION : NORMANDIE ROTO IMPRESSION S.A. À LONRAI (61250)
DÉPÔT LÉGAL : JANVIER 2012. Nº 106499 (114428)
IMPRIMÉ EN FRANCE